RICETTE FAI-DA-TE PER PRINCIPIANTI

50 RICETTE FACILI E DIVERTENTI

PER UNO STILE DI VITA SANO

ALESSANDRA MAMELI

Disclaimer

Le informazioni contenute in i intendono servire come una raccolta completa di strategie sulle quali l'autore di questo eBook ha svolto delle ricerche. Riassunti, strategie, suggerimenti e trucchi sono solo raccomandazioni dell'autore e la lettura di questo eBook non garantisce che i propri risultati rispecchieranno esattamente i risultati dell'autore. L'autore dell'eBook ha compiuto ogni ragionevole sforzo per fornire informazioni aggiornate e accurate ai lettori dell'eBook. L'autore e i suoi associati non saranno ritenuti responsabili per eventuali errori o omissioni involontarie che possono essere trovati. Il materiale nell'eBook può includere informazioni di terzi. I materiali di terze parti comprendono le opinioni espresse dai rispettivi proprietari. In quanto tale, l'autore dell'eBook non si assume alcuna responsabilità per materiale o opinioni di terzi. A causa del progresso di Internet o dei cambiamenti imprevisti nella politica aziendale e nelle linee guida per l'invio editoriale, ciò che è dichiarato come fatto al momento della stesura di questo documento potrebbe diventare obsoleto o inapplicabile in seguito.

SOMMARIO

INTRODUZIONE

Benvenuti nella produzione del formaggio!

Tutti amano il formaggio, ma cos'è veramente e perché non lo facciamo più spesso a casa.Il formaggio è un prodotto lattiero-caseario derivato dal latte che viene prodotto in una vasta gamma di sapori, consistenze e forme per coagulazione delle proteine del latte caseina. Comprende proteine e grassi del latte, di solito il latte di mucche, bufali, capre o pecore.

La maggior parte dei formaggi fatti in casa è prodotta con latte, batteri e caglio. Il formaggio può essere prodotto con quasi tutti i tipi di latte, inclusi mucca, capra, pecora, scremato, intero, crudo, pastorizzato e in polvere.

La produzione di formaggio in casa differisce dalla produzione di formaggio commerciale in scala e nella necessità di produrre prodotti duplicati esatti giorno dopo giorno per i mercati al dettaglio.

I produttori di formaggio commerciali utilizzano gli stessi ingredienti dei produttori di formaggio casalingo, ma devono ottenere certificazioni locali e seguire rigide normative. Se vuoi vendere il tuo formaggio, è importante che inizi producendo formaggio semplice.

Cosa rende ogni formaggio così diverso quando diversi tipi di formaggio utilizzano gli stessi ingredienti? A prima vista, può sembrare che diversi tipi di formaggio siano fatti allo stesso modo. Tuttavia, le differenze nel formaggio derivano da piccolissime variazioni nel processo. Il Cheddar e il Colby, ad esempio, sono molto simili all'inizio, ma Colby ha un passaggio in cui l'acqua viene aggiunta alla cagliata, causando un formaggio a più umidità rispetto al Cheddar.

Alcuni altri fattori che giocano un ruolo nel formaggio finale includono la quantità di coltura, il tempo di maturazione, la quantità di caglio e la dimensione della cagliata, quanto a lungo e in alto viene riscaldato il latte, il periodo di tempo in cui la cagliata viene mescolata e come la cagliata viene riscaldata. il siero di latte viene rimosso. Piccoli cambiamenti in una qualsiasi di queste aree possono fare una differenza drammatica nel formaggio finale.

La resa del formaggio da un gallone di latte è di circa una libbra per il formaggio a pasta dura e due libbre per il formaggio a pasta molle.

Quando acquisti prodotti per la produzione del formaggio, è una buona idea trovare prima una ricetta per la produzione del formaggio, quindi iniziare a fare un elenco degli ingredienti e delle attrezzature di cui avrai bisogno per fare il tuo formaggio.

FORMAGGIO CLASSICO

1. Mascarpone

FA 12 once

- 2 tazze di panna pastorizzata senza addensanti
- 1 tazza di latte scremato in polvere
- 1 limone, tagliato a metà

a) Assembla l'attrezzatura, le scorte e gli ingredienti, incluso un termometro da cucina o da latte; pulire e sterilizzare l'attrezzatura secondo necessità e stenderla su carta da cucina pulita.

b) In una casseruola da 2 quarti non reattiva e pesante con un coperchio, sbatti insieme la panna e il latte in polvere. Mettere a fuoco basso e portare lentamente a 180 ° F, mescolando continuamente per evitare che si scotti. Ci vorranno circa 40 minuti per raggiungere la temperatura. Spegni il fuoco.

c) Spremi lentamente il succo di metà limone nella panna. Passa a un cucchiaio di metallo e continua a mescolare; non utilizzare una frusta, in quanto ciò inibirà la formazione della cagliata. Guarda attentamente per vedere se la crema inizia a coagulare. Non vedrai una rottura netta tra cagliata e siero di latte. Piuttosto, la crema ricoprirà il cucchiaio e inizierai a vedere dei solidi nella crema.

d) Aggiungere il succo della metà del limone rimanente e mescolare con il cucchiaio per incorporare. Coprite la teglia e lasciate raffreddare la crema in frigorifero per 8 ore o per tutta la notte.

e) Quando la crema è soda al tatto, trasferiscila in una ciotola o in uno scolapasta rivestita di mussola di burro pulita e umida. Disegna le estremità insieme e attorciglia in una palla per spremere l'umidità in eccesso. Quest'ultimo passaggio renderà denso il mascarpone.

2. Panir magro

DA 12 a 14 once

- 2½ litri di latte vaccino crudo o pastorizzato a ridotto contenuto di grassi (2%)
- 5 tazze di latticello, fatto in casa (vedi variazione su Crème Fraîche) o acquistato in negozio
- 1 cucchiaino di sale marino

a) Assembla l'attrezzatura, le scorte e gli ingredienti, incluso un termometro da cucina o da latte; pulire e sterilizzare l'attrezzatura secondo necessità e stenderla su carta da cucina pulita.

b) Mettere il latte a ridotto contenuto di grassi in una pentola da 4 quarti non reattiva a fuoco medio-basso e portarlo lentamente a 175 ° F a 180 ° F. Ci vorranno circa 40 minuti per raggiungere la temperatura. Spegni il fuoco.

c) Versare il latticello e mescolare delicatamente con una frusta solo per amalgamare. La coagulazione inizierà immediatamente e la cagliata inizierà a formarsi dopo circa 2 minuti. Aumenta lentamente la temperatura a 195 ° F, mescolando delicatamente con una spatola. Vedrai un'evidente separazione di cagliata e siero di latte. Usando una spatola di gomma, mescolare delicatamente fino a quando la maggior parte della cagliata di rivestimento si è attaccata alla massa più grande, circa 10 minuti in più. Togliere dal fuoco e mescolare delicatamente attorno al bordo della cagliata con la spatola di gomma. Coprite e lasciate maturare il latte per 5 minuti.

d) Posiziona un colino non reattivo su una ciotola o un secchio non reattivo abbastanza grande da catturare il siero di latte. Foderalo con mussola di burro pulita e umida e versaci delicatamente la cagliata. Fai un sacco drenante: lega due angoli opposti della mussola al burro in un nodo e ripeti con gli altri due angoli. Infila un tassello o un cucchiaio di legno sotto i nodi per sospendere il sacchetto sopra il recipiente di raccolta del siero di latte, oppure appendilo sopra il lavello della cucina usando lo spago da cucina legato attorno al rubinetto. Lasciate sgocciolare la cagliata per 5 minuti, quindi aprite il telo, distribuite il sale sulla cagliata e mescolate delicatamente la cagliata con le mani per incorporarla. Lega chiusa e lascia scolare per altri 10 minuti o finché il siero non smette di gocciolare. Gettare il siero di latte o riservarlo per un altro uso.

e) Mentre la cagliata è ancora calda, apri il panno e forma la cagliata in un mattone di circa ¾ a 1 pollice di spessore. Avvolgi la cagliata comodamente nello stesso panno per mantenere la forma. Adagiare la confezione di cagliata su una scolapiatti posta sopra una teglia e adagiarvi sopra il peso. Premere e scolare per almeno 30 minuti, o più a lungo per un formaggio più asciutto.

f) Rimuovere il panno. Il formaggio sarà asciutto e avrà formato un solido mattone. Se non lo usi lo stesso giorno, avvolgi strettamente il formaggio in un involucro di plastica e conservalo in frigorifero per un massimo di 4 giorni o sigillalo sottovuoto e congelalo per un massimo di 2 mesi.

3. Queso blanco

FA 1 libbra

- 1 gallone di latte vaccino intero pastorizzato
- Di ⅓ tazza di aceto di sidro o aceto bianco distillato
- 1 cucchiaino di sale kosher (preferibilmente di marca Diamond Crystal)

a) Assembla l'attrezzatura, le scorte e gli ingredienti, incluso un termometro da cucina o da latte; pulire e sterilizzare l'attrezzatura secondo necessità e stenderla su carta da cucina pulita.

b) Riscaldare il latte in una pentola pesante da 6 quarti non reattiva a fuoco medio a 195 ° F, mescolando di tanto in tanto per evitare che il latte si bruci. Dovrebbero essere necessari dai 25 ai 30 minuti per portare il latte a temperatura. Spegni il fuoco.

c) Aggiungere mescolando ⅓tazza di aceto con una frusta. Coprite, togliete dal fuoco e lasciate riposare per 10 minuti. Le proteine del latte si coaguleranno in cagliata solida e il siero di latte liquido sarà quasi limpido e di colore verde chiaro. A seconda del latte utilizzato, se il siero è ancora un po 'torbido o se ci sono piccoli pezzetti di cagliata visibili nel siero, potrebbe essere necessario aggiungere un po' più di aceto per coagulare completamente la cagliata. Se è così, aggiungi 1 cucchiaino alla volta e mescola l'aceto con una spatola di gomma fino a formare il resto della cagliata.

d) Posiziona un colino non reattivo su una ciotola o un secchio non reattivo abbastanza grande da catturare il siero di latte. Foderalo con mussola di burro pulita e umida e versaci delicatamente la cagliata. Lascia scolare la cagliata per 5 minuti.

e) Distribuire il sale sulla cagliata e mescolare delicatamente la cagliata con le mani per incorporarla. Fai attenzione a non rompere la cagliata in questo processo.

f) Fai un sacco drenante: lega due angoli opposti della mussola al burro in un nodo e ripeti con gli altri due angoli. Infila un tassello o un cucchiaio di legno sotto i nodi per sospendere il sacchetto sopra il recipiente di raccolta del siero di latte, oppure appendilo sopra il lavello della cucina usando lo spago da cucina legato attorno al rubinetto. Lascia che la cagliata scoli per 1 ora o fino a quando il siero non ha smesso di gocciolare. Gettare il siero di latte o riservarlo per un altro uso.

g) Rimuovere la massa solida di formaggio dal panno e metterlo in un contenitore ermetico o avvolgere strettamente nella pellicola e conservare in frigorifero fino al momento dell'uso.

4. Ricotta di latte intero

FA 1 libbra

- 1 gallone di latte vaccino intero pastorizzato o crudo
- ½ tazza di panna
- 1 cucchiaino di acido citrico in polvere
- 2 cucchiaini di sale kosher (preferibilmente di marca Diamond Crystal)

a) Assembla l'attrezzatura, le scorte e gli ingredienti, incluso un termometro da cucina o da latte; pulire e sterilizzare

l'attrezzatura secondo necessità e stenderla su carta da cucina pulita.

b) In una pentola pesante da 6 quarti non reattiva, unire il latte, la panna, l'acido citrico e 1 cucchiaino di sale e mescolare accuratamente con una frusta. Mettere a fuoco medio-basso e riscaldare lentamente il latte a 185 ° F a 195 ° F. Questo dovrebbe richiedere dai 15 ai 20 minuti. Mescola spesso con una spatola di gomma per evitare scottature.

c) Quando il latte raggiunge la temperatura desiderata, vedrai iniziare a formarsi la cagliata. Quando la cagliata e il siero si separano e il siero è verde giallastro e leggermente torbido, togliere dal fuoco. Passa delicatamente una spatola di gomma sottile attorno al bordo della cagliata per ruotare la massa. Coprite la padella e lasciate riposare la cagliata senza disturbare per 10 minuti.

d) Posiziona un colino non reattivo su una ciotola o un secchio non reattivo abbastanza grande da catturare il siero di latte. Foderalo con mussola di burro pulita e umida e versaci delicatamente la cagliata. Usa una schiumarola a maglie dal manico lungo per catturare l'ultima cagliata. Se della cagliata è attaccata al fondo della padella, lasciarla lì. Non vuoi che la cagliata bruciata insapore il tuo formaggio.

e) Distribuire il restante cucchiaino di sale sulla cagliata e mescolare delicatamente la cagliata con le mani per incorporarla. Fai attenzione a non rompere la cagliata durante il processo.

f) Fai un sacco drenante: lega due angoli opposti della mussola al burro in un nodo e ripeti con gli altri due angoli. Infila un tassello o un cucchiaio di legno sotto i nodi per sospendere il sacchetto sopra il recipiente di raccolta del siero di latte, oppure appendilo sopra il lavello della cucina usando lo spago da cucina legato attorno al rubinetto.
g) Lascia scolare la cagliata per 10-15 minuti o fino a quando non avrai raggiunto la consistenza desiderata. Se ti piace la ricotta umida, smetti di scolare non appena il siero smette di ribaltarsi.

h) Se ti piace più secca o la usi per fare la ricotta salata, lascia scolare la cagliata più a lungo. Eliminare il siero di latte o conservarlo per un altro uso.

i) Trasferisci il formaggio in un contenitore con coperchio. Coprire e conservare, in frigorifero, per un massimo di 1 settimana.

5. Ricotta di siero di latte

PER 3 tazze

- Siero di latte vaccino fresco da 1 gallone ottenuto dalla produzione di un formaggio di latte vaccino utilizzando 2 galloni di latte

- 1 gallone di latte vaccino intero pastorizzato
- 3 ½ cucchiai di aceto distillato
- 1 cucchiaio di sale marino
- 1 tazza di panna pastorizzata senza additivi

1. Assembla l'attrezzatura, le scorte e gli ingredienti, incluso un termometro da cucina o da latte; pulire e sterilizzare l'attrezzatura secondo necessità e stenderla su carta da cucina pulita.

2. Assembla un bagnomaria usando una pentola da 10 quarti all'interno di una pentola più grande. Versare l'acqua nella pentola più grande fino a raggiungere i due terzi del lato della pentola più piccola. Togli la pentola più piccola e metti la pentola piena d'acqua a fuoco basso.
3. Quando l'acqua raggiunge il punto di ebollizione (212 ° F), rimetti la pentola più piccola nell'acqua per scaldarla leggermente, quindi versa il siero di latte nella pentola più piccola. Mescola delicatamente il siero di latte con una frusta con un movimento su e giù per 20 colpi per distribuire uniformemente il calore.

4. Aggiungere il latte vaccino, coprire la pentola e riscaldare lentamente il latte a 192 ° F nel corso di circa 20 minuti, abbassando la fiamma, aggiungendo acqua fredda a bagnomaria o togliendo dal fuoco se la temperatura sale troppo rapidamente . Spegni il fuoco.

5. Versare lentamente l'aceto sulla superficie del latte. Usando una frusta, incorporare completamente l'aceto nel latte con un movimento su e giù per 20 colpi. Cominceranno a formarsi piccole cagliate.
6. Copri la pentola e lascia riposare per 10-15 minuti, mescolando una volta sul bordo della cagliata con una spatola di gomma. La cagliata si depositerà nella pentola. Mestola il siero di latte finché non vedi la cagliata.

7. Posiziona un colino non reattivo su una ciotola o un secchio non reattivo abbastanza grande da catturare il siero di latte. Foderalo con mussola di burro pulita e umida e versaci delicatamente la cagliata. Lascia scolare la cagliata per 10 minuti. Distribuire il sale sulla cagliata e mescolare delicatamente la cagliata con le mani per incorporarla. Fai attenzione a non rompere la cagliata in questo processo. Gettare il siero di latte o riservarlo per un altro uso.

8. Trasferite la ricotta in una ciotola e incorporate delicatamente la panna con una spatola di gomma, facendo attenzione a non rompere la cagliata. Servire caldo o conservare in frigorifero per un massimo di 3 giorni

6. Cabécou

PRODUCE quattro dischi da 1½ a 2 once

- 2 litri di latte di capra pastorizzato
- ¼ di cucchiaino di coltura starter mesofila in polvere MA 011 o C20G
- 1 goccia di caglio liquido diluito in 5 cucchiai di acqua fredda non clorata
- 2 cucchiaini di sale kosher (preferibilmente di marca Diamond Crystal)
- 1 cucchiaio di erbe di Provenza (facoltativo)
- 2 cucchiaini di pepe in grani interi misti
- 4 foglie di alloro
- Circa 4 tazze di olio extravergine di oliva fruttato

1. Assembla l'attrezzatura, le scorte e gli ingredienti, incluso un termometro da cucina o da latte; pulire e sterilizzare

l'attrezzatura secondo necessità e stenderla su carta da cucina pulita.

2. Montare un bagnomaria utilizzando una pentola non reattiva da 4 quarti all'interno di una pentola più grande. Versa l'acqua nella pentola più grande in modo che arrivi a metà del lato della pentola più piccola. Togli la pentola più piccola e metti la pentola piena d'acqua a fuoco basso. Quando l'acqua raggiunge i 85 ° F, rimetti la pentola più piccola nell'acqua per scaldarla leggermente, quindi versa il latte nella pentola più piccola. Mescolare delicatamente il latte con una frusta con un movimento su e giù per 20 colpi per distribuire uniformemente il calore. Copri e riscalda lentamente il latte a 24 ° C nel corso di circa 10 minuti, abbassando la fiamma, aggiungendo acqua fredda a bagnomaria o togliendo dal fuoco se la temperatura sale troppo velocemente.

3. Quando il latte è a temperatura, toglilo dal fuoco. Cospargere lo starter sul latte e lasciarlo reidratare per 5 minuti. Usando una frusta, mescola lo starter nel latte da incorporare, usando un movimento su e giù per 20 colpi. Aggiungere il caglio diluito al latte, mescolando con un movimento su e giù per 20 colpi per incorporare.

4. Coprite e lasciate riposare il latte a 22 ° C per 18 ore, finché non si coagula. Durante la stagionatura non toccare o muovere il latte. La cagliata formerà una massa solida durante questo periodo.

5. Adagiare 4 stampi su una griglia scolata sopra una teglia e, utilizzando un mestolo o una schiumarola, versare la cagliata negli stampini. Quando gli stampini sono pieni, coprire la griglia con un canovaccio o un coperchio e lasciare scolare a temperatura ambiente.

6. Dopo 2 giorni di scolatura, i formaggi saranno affondati fino a circa 1 pollice di altezza. Unmold loro; dovrebbero essere abbastanza fermi da mantenere la loro forma. Salare i formaggi su entrambi i lati e asciugarli nella parte inferiore del frigorifero per 2 giorni su graticci a rete, girandoli una volta al giorno. Tenerli scoperti, poiché devono asciugare all'aria fino a quando la superficie è asciutta al tatto.

7. Mettete ogni disco di formaggio in un barattolo di vetro sterilizzato. Dividere le erbe di Provenza, i grani di pepe e le foglie di alloro tra i barattoli e coprire i formaggi con olio d'oliva. Chiudi bene le palpebre. L'olio d'oliva preserverà il formaggio, aggiungerà il suo sapore e porterà il sapore delle erbe. Si prega di notare che l'olio d'oliva si solidificherà in frigorifero ma tornerà liquido a temperatura ambiente. Invecchiare per 1 settimana per far sviluppare il sapore; utilizzare entro 3 settimane.

7. Vero formaggio cremoso

RENDE 1 ½ libbra

- 1 litro di latte vaccino intero pastorizzato
- 1 litro di panna pastorizzata
- ¼ di cucchiaino di antipasto mesofilo in polvere MA 4001
- 2 gocce di cloruro di calcio diluito in 2 cucchiai di acqua fredda non clorata
- 3 gocce di caglio liquido diluito in 2 cucchiai di acqua non clorata
- 1 cucchiaino di sale kosher (preferibilmente di marca Diamond Crystal)

a) Assembla l'attrezzatura, le scorte e gli ingredienti, incluso un termometro da cucina o da latte; pulire e sterilizzare l'attrezzatura secondo necessità e stenderla su carta da cucina pulita.

b) Assembla un bagnomaria usando una pentola da 4 quarti non reattiva all'interno di una pentola più grande. Usando questo metodo come descritto a pagina 17, scalda il latte e la panna nella pentola più piccola finché non raggiunge i 25 ° C, mescolando di tanto in tanto. Questo dovrebbe richiedere circa 15 minuti. Spegni il fuoco.

c) Cospargere lo starter sul latte e lasciarlo reidratare per 5 minuti. Sbatti lo starter nel latte per incorporarlo, con un movimento su e giù per 20 colpi. Aggiungere il cloruro di calcio diluito e incorporare allo stesso modo, quindi il caglio diluito. Coprite, togliete dal bagnomaria e lasciate riposare a temperatura ambiente per 12 ore, o fino a quando si formano cagliate solide e siero di latte liquido in cima. Il siero sarà quasi limpido e di colore verde chiaro.

d) Posiziona un colino non reattivo su una ciotola o un secchio non reattivo abbastanza grande da catturare il siero di latte. Foderalo con mussola di burro pulita e umida e versaci delicatamente la cagliata. Legare le estremità della mussola per formare un sacco drenante e lasciare sgocciolare per 6-8 ore, o fino a quando non si tocca. Gettare il siero di latte o riservarlo per un altro uso.

e) Trasferisci la cagliata in una ciotola, aggiungi il sale e mescola o impasta per amalgamare. Formare un mattone e avvolgere con pellicola trasparente o conservare in un contenitore coperto. Metti in frigorifero per un massimo di 2 settimane.

8. Créme Fraîche Ricotta

- 1 gallone di latte vaccino intero pastorizzato
- ⅜ cucchiaino di coltura starter mesofila Aroma B in polvere
- 1 cucchiaino di cloruro di calcio diluito in ¼ di tazza di acqua fredda non clorata (omettere se si utilizza latte crudo)
- 1 cucchiaino di caglio liquido diluito in ¼ di tazza di acqua fredda non clorata
- 1 cucchiaino di sale kosher (preferibilmente di marca Diamond Crystal) o sale di formaggio
- Da 1 a 1 tazza e mezzo di crème fraîche, fatta in casa o acquistata in negozio

a) Assembla l'attrezzatura, le scorte e gli ingredienti, incluso un termometro da cucina o da latte; pulire e sterilizzare

l'attrezzatura secondo necessità e stenderla su carta da cucina pulita.

b) Assembla un bagnomaria usando una pentola da 6 quarti all'interno di una pentola più grande. Versare l'acqua nella pentola più grande fino a raggiungere i due terzi del lato della pentola più piccola. Togli la pentola più piccola e metti la pentola piena d'acqua a fuoco basso. Quando l'acqua raggiunge i 80 ° F, rimetti la pentola più piccola nell'acqua per scaldarla leggermente, quindi versa il latte nella pentola più piccola. Copri la pentola e riscalda lentamente il latte a 70 ° F nel corso di circa 15 minuti, abbassando la fiamma, aggiungendo acqua fredda a bagnomaria o togliendo dal fuoco se la temperatura sale troppo velocemente.

c) Quando il latte sarà a temperatura, spolverare con lo starter sul latte e lasciarlo reidratare per 5 minuti. Sbatti lo starter nel latte per incorporarlo, con un movimento su e giù per 20 colpi. Aggiungere il cloruro di calcio diluito e incorporare allo stesso modo, quindi il caglio diluito. Coprite, togliete dal bagnomaria e lasciate riposare a temperatura ambiente per 3-4 ore. Le proteine del latte si coaguleranno in cagliata solida e il siero di latte liquido sarà quasi limpido e di colore verde chiaro.
d) Controlla la cagliata per una rottura pulita, usando un coltello da taglio per cagliata a lama lunga igienizzato o una spatola per decorare la torta da 10 pollici. Se il bordo tagliato è pulito e c'è un accumulo di siero di latte chiaro nell'area di taglio, la cagliata è pronta. Se il bordo tagliato è morbido e la cagliata è pastosa, la cagliata non è pronta; lasciarli sedere più a lungo prima di riprovare. Quando è

pronto, tagliare la cagliata in pezzi da di pollice e mescolare delicatamente con una spatola di gomma per 5 minuti per rassodare leggermente la cagliata.

e) Rimettere la pentola a bagnomaria a fuoco basso e portare lentamente la temperatura della cagliata a 115 ° F, alzando la temperatura di circa 5 ° F ogni 5 minuti. Questo richiederà circa 40 minuti. Durante questo periodo, mescolare delicatamente la cagliata due o tre volte per espellere più siero di latte e rimuoverle leggermente. Quando la cagliata è prossima alla temperatura, riempire a metà una grande ciotola con acqua fredda e ghiaccio e rivestire uno scolapasta o un colino con mussola di burro pulita e umida. Quando la cagliata è a temperatura, dovrebbe essere soda e della grandezza di un fagiolo. Versare la cagliata nello scolapasta rivestito di stoffa e posizionare immediatamente lo scolapasta nel bagno di acqua ghiacciata. Questo preparerà la cagliata e impedirà loro di maturare ulteriormente.

f) Lascia che la cagliata scoli completamente nello scolapasta, circa 15 minuti, quindi condisci con il sale fino a quando non sarà omogenea. Incorporare delicatamente una quantità sufficiente di crema pasticcera per ricoprire la cagliata. Il formaggio può essere refrigerato fino a 10 giorni.

9. Crescenza

- 2 galloni di latte vaccino intero pastorizzato
- 1 cucchiaino di coltura starter mesofila in polvere Aroma B.
- 1 cucchiaino di cloruro di calcio diluito in ¼ di tazza di acqua fredda non clorata
- 1 cucchiaino di caglio liquido diluito in ¼ di tazza di acqua fredda non clorata Sale kosher (preferibilmente di marca Diamond Crystal) o sale di formaggio Acqua non clorata, raffreddata a 55 ° F

1. Assembla l'attrezzatura, le scorte e gli ingredienti, incluso un termometro da cucina o da latte; pulire e sterilizzare l'attrezzatura secondo necessità e stenderla su carta da cucina pulita.

a. In una pentola da 10 quarti non reattiva e pesante, scalda il latte a fuoco basso a 90 ° F. Questo

2. dovrebbe richiedere circa 20 minuti. Spegnere il calore.

a. Cospargere lo starter sul latte e lasciarlo reidratare per 5 minuti. Sbatti lo starter nel latte per incorporarlo, con un movimento su e giù per 20 colpi. Coprite e, mantenendo la temperatura a 30 ° C, lasciate maturare il latte per 30 minuti. (Fare riferimento ai suggerimenti su come mantenere il latte o la cagliata a una temperatura costante per un periodo di tempo.) Aggiungere il cloruro di calcio diluito e incorporare allo stesso modo, quindi aggiungere il caglio diluito. Coprite e lasciate riposare a temperatura ambiente per 45 minuti, o fino a quando la cagliata non è Irm e c'è una rottura netta tra cagliata e siero di latte.

b. Tagliate la cagliata a pezzi da 1 pollice e lasciate riposare per 10 minuti. Mescolare delicatamente con una spatola di gomma per 5 minuti per ammorbidire leggermente la cagliata. Lascia che la cagliata si depositi sul fondo della pentola. Mestolo oW abbastanza siero di latte per esporre le parti superiori della cagliata.

c. Adagiare uno stampo taleggio su una griglia adagiata su una teglia e rivestire lo stampo con mussola di burro pulita e umida. Versare delicatamente la cagliata morbida nello stampo, coprire la cagliata con le code di mussola e lasciare scolare per 3 ore a temperatura ambiente. Sollevare il sacchetto di stoffa dallo stampo, scartare il formaggio, immergerlo e rimetterlo nel panno. Rimettete il sacco nello stampo e lasciate scolare per altre 3 ore, quindi togliete il formaggio dalla tela.

d. In un contenitore per alimenti con coperchio, prepara una quantità sufficiente di salamoia per coprire il formaggio non confezionato unendo 1 parte di sale con 5 parti di acqua refrigerata. Mettere il formaggio nella salamoia per 2 ore a temperatura ambiente, avvolgendo il formaggio dopo 1 ora per garantire un assorbimento uniforme del sale.

e. Rimuovere il formaggio dalla salamoia, asciugarlo tamponando e disporlo sulla griglia per scolare ulteriormente e asciugare all'aria per 1 ora a temperatura ambiente, o fino a quando la superficie è asciutta al tatto.

f. Avvolgere accuratamente in un involucro di plastica o sigillare sottovuoto e conservare in frigorifero fino al momento dell'uso. Questo formaggio è il migliore se consumato entro 1 settimana dall'incarto, anche se se sottovuoto può durare fino a 1 mese.

10. Chèvre di base

- 1 gallone di latte di capra pastorizzato
- 1 cucchiaino di coltura starter mesofila in polvere C20G
- 1 cucchiaino di sale marino

a) Leggi la ricetta e rivedi tutti i termini e le tecniche che non conosci 1). Assembla l'attrezzatura, le scorte e gli ingredienti, incluso un termometro da cucina o da latte; pulire e sterilizzare l'attrezzatura secondo necessità e stenderla su carta da cucina pulita.

b) In una pentola pesante da 6 quarti non reattiva, scalda il latte a fuoco basso a 30 ° C. Questo dovrebbe richiedere dai 18 ai 20 minuti. Spegni il fuoco.

c) Quando il latte sarà a temperatura, spolverare con lo starter sul latte e lasciarlo reidratare per 5 minuti. Sbatti lo starter nel latte per incorporarlo, con un movimento su e giù per 20 colpi. Coprite e, mantenendo la temperatura tra i 22 ei 25 ° C, lasciate maturare il latte per 12 ore. (Fare riferimento ai suggerimenti su come mantenere il latte o la cagliata a una temperatura costante per un periodo di tempo.)

d) La cagliata è pronta quando nella pentola avrà formato una grossa massa della consistenza di uno yogurt denso, circondata da siero di latte chiaro. Posiziona un colino non reattivo su una ciotola o un secchio non reattivo abbastanza grande da catturare il siero di latte. Foderalo con un unico strato di mussola di burro pulita e umida e versaci delicatamente la cagliata. Lasciar scolare per 5 minuti, quindi condire delicatamente la cagliata con il sale. A questo punto si può coprire la cagliata con le code di mussola e lasciarla scolare sopra la ciotola, oppure si può versare la cagliata in 2 stampi per chèvre adagiati su uno scolapiatti adagiato su una teglia. Lasciate scolare a temperatura ambiente per 6 ore per il formaggio cremoso, o 12 ore se volete modellare il formaggio. Se stai usando gli stampini, friggi i formaggi una volta durante il processo di scolatura.

e) Rimuovere il formaggio dalla garza o dagli stampini e metterlo in un contenitore coperto. Utilizzare subito o conservare in frigorifero per un massimo di 1 settimana.

FORMAGGI DI CAPRA

11. Fromage blanc

RENDE 1 ½ libbra

- 1 gallone di latte vaccino a ridotto contenuto di grassi pastorizzato (2 percento) ¼ di cucchiaino MA 4001 coltura mesofila in polvere
- 4 gocce di cloruro di calcio diluito in 2 cucchiai di acqua fredda non clorata (omettere se si utilizza latte crudo)
- 4 gocce di caglio liquido diluito in 2 cucchiai di acqua fredda non clorata
- 1 cucchiaino di sale kosher (preferibilmente di marca Diamond Crystal) o sale di formaggio

1. Leggi la ricetta e rivedi tutti i termini e le tecniche che non conosci 1). Assembla l'attrezzatura, le scorte e gli

ingredienti, incluso un termometro da cucina o da latte; pulire e sterilizzare l'attrezzatura secondo necessità e stenderla su carta da cucina pulita.

2. Assembla un bagnomaria usando una pentola da 6 quarti all'interno di una pentola più grande. Versare l'acqua nella pentola più grande fino a raggiungere i due terzi del lato della pentola più piccola. Togli la pentola più piccola e metti la pentola piena d'acqua a fuoco basso. Quando l'acqua raggiunge i 85 ° F, rimetti la pentola più piccola nell'acqua per scaldarla leggermente,poi versate il latte nella pentola più piccola. Copri la pentola e riscalda lentamente il latte a 24 ° C nel corso di circa 15 minuti, abbassando la fiamma, aggiungendo acqua fredda a bagnomaria o togliendo dal fuoco se la temperatura sale troppo velocemente. Spegni il fuoco.

3. Quando il latte sarà a temperatura, spolverare con lo starter sul latte e lasciarlo reidratare per 5 minuti. Sbatti lo starter nel latte per incorporarlo, con un movimento su e giù per 20 colpi. Aggiungere il cloruro di calcio diluito e incorporare allo stesso modo, quindi aggiungere allo stesso modo il caglio diluito. Coprite e lasciate riposare a temperatura ambiente per 12 ore, o fino a quando la cagliata non sarà solida e il siero sarà quasi limpido e di colore giallastro e sopra sarà Voating.
4. Posiziona un colino non reattivo su una ciotola o un secchio non reattivo abbastanza grande da catturare il siero di latte. Foderalo con mussola di burro pulita e umida e versaci delicatamente la cagliata. Fare un sacco scolante o lasciare scolare la cagliata nello scolapasta per

4-6 ore, o fino a ottenere la consistenza desiderata. Gettare il siero di latte o riservarlo per un altro uso.

5. Trasferire la cagliata in una ciotola e cospargere di sale, quindi frullare per amalgamare. Usa il dirittoo conservare in frigorifero per un massimo di 2 settimane.

12. Queso affresco

FA 2 libbre

- 2 galloni di latte vaccino intero pastorizzato
- 1 cucchiaino di coltura starter mesofila in polvere Meso II
- 1 cucchiaino di cloruro di calcio diluito in ¼ di tazza di acqua fredda non clorata (omettere se si utilizza latte crudo)
- 1 cucchiaino di caglio liquido diluito in ¼ di tazza di acqua fredda non clorata
- 1 cucchiaino e mezzo di sale kosher (preferibilmente di marca Diamond Crystal) o sale per formaggio

1. Assembla l'attrezzatura, le scorte e gli ingredienti, tra cui un termometro da latte o da cucina, uno stampo per tomme da 5 pollici con un follower e una pressa per formaggio o un peso di 8 libbre come una brocca da

gallone piena d'acqua. Pulisci e sterilizza l'attrezzatura secondo necessità e stendila su carta da cucina pulita.

2. In una pentola pesante da 10 quarti non reattiva, scalda il latte a fuoco medio a 90 ° F, mescolando di tanto in tanto con una spatola di gomma per evitare scottature. Questo dovrebbe richiedere circa 20 minuti. Turnfuori dal fuoco.

3. Quando il latte sarà a temperatura, spolverare con lo starter sul latte e lasciarlo reidratare per 5 minuti. Sbatti lo starter nel latte per incorporarlo, con un movimento su e giù per 20 colpi. Coprite e mantenete la temperatura a 90 ° F per 30 minuti per far maturare il latte. (Fare riferimento ai suggerimenti su come mantenere il latte o la cagliata a una temperatura costante per un periodo di tempo.) Aggiungere il cloruro di calcio diluito e incorporare delicatamente con una frusta eseguendo un movimento su e giù per 1 minuto. Aggiungere il caglio diluito e incorporare allo stesso modo. Coprire e mantenere la temperatura di 90 ° F per altri 45 minuti, o fino a quando la cagliata non si rompe nettamente quando viene tagliata con un coltello.

4. Tagliare la cagliata a pezzi da ¼ di pollice e lasciarli riposare per 10 minuti. Riporta la pentola scoperta a fuoco basso e aumenta gradualmente la temperatura a 35 ° F in 20 minuti, mescolando delicatamente la cagliata alcune volte per evitare che si stuoia. Togli la pentola dal fuoco e lascia riposare la cagliata per 5 minuti, quindi aggiungi abbastanza siero di latte per esporre la cagliata.

5. Posiziona un colino non reattivo su una ciotola o un secchio non reattivo abbastanza grande da catturare il siero di latte. Foderalo con mussola di burro pulita e umida e versaci delicatamente la cagliata. Lasciate scolare per 5 minuti. Distribuire il sale sulla cagliata e mescolare delicatamente per incorporare, facendo attenzione a non rompere la cagliata durante il processo.

6. Solleva il panno pieno di cagliata dal colino e posizionalo nello stampo per tomme da 5 pollici. Con le mani distribuire la cagliata in modo uniforme nello stampo. Coprite la cagliata con le code del panno e sistemate il follower, quindi ponete in una pressa a 8 libbre di pressione per 6 ore a temperatura ambiente. Puoi anche usare un contenitore da 1 gallone pieno d'acqua per il peso.

7. Rimuovere il formaggio dallo stampo e dal panno e usarlo subito, oppure conservare in frigorifero in un contenitore coperto per un massimo di 2 settimane.

13. Quark

RENDE 1 ½ libbra

- 2 litri di latte vaccino intero pastorizzato
- 2 litri di latte vaccino pastorizzato a ridotto contenuto di grassi (2%)
- 1 cucchiaino di coltura starter mesofila in polvere Aroma B.
- 1 cucchiaino di cloruro di calcio diluito in ¼ di tazza di acqua fredda non clorata
- 1 cucchiaino di caglio liquido diluito in ¼ di tazza di acqua fredda non clorata

- 1 cucchiaino e mezzo di sale kosher (preferibilmente di marca Diamond Crystal) o sale per formaggio

1. Assembla l'attrezzatura, le scorte e gli ingredienti, incluso un termometro da cucina o da latte; pulito esterilizzare l'attrezzatura secondo necessità e stenderla su carta da cucina pulita.

2. In una pentola non reattiva da 6 quarti riscaldare lentamente entrambi i latti a fuoco basso a 22 ° C. Questo dovrebbe richiedere circa 15 minuti. Spegni il fuoco.

3. Quando il latte sarà a temperatura, spolverare con lo starter sul latte e lasciarlo reidratare per 5 minuti. Sbatti lo starter nel latte per incorporarlo, con un movimento su e giù per 20 colpi. Coprite e, mantenendo la temperatura a 22 ° C, lasciate maturare il latte per 30 minuti. (Fare riferimento ai suggerimenti su come mantenere il latte o la cagliata a una temperatura costante per un periodo di tempo.) Aggiungere il cloruro di calcio diluito e mescolare delicatamente con una frusta con un movimento su e giù per 1 minuto. Aggiungere il caglio diluito e incorporare allo stesso modo.

4. Coprite e lasciate riposare a temperatura ambiente per 12-18 ore, fino a quando il siero di latte non ricopre e la cagliata si rompe con un coltello. Se il bordo tagliato è pulito e c'è un accumulo di siero di latte chiaro nell'area di taglio, la cagliata è pronta. Se il bordo tagliato è morbido e la cagliata è pastosa, la cagliata non è pronta; lasciarli riposare 10 minuti in più prima di ripetere il test.

5. Riporta lentamente la cagliata e il siero di latte a 22 ° F a fuoco basso. Tagliare la cagliata a pezzi da ½ pollice,

togliere dal fuoco e mescolare delicatamente per 5 minuti. Lasciar riposare la cagliata e affondare sul fondo della pentola, mantenendo la temperatura. Mestolo o siero di latte fino a quando la cagliata è esposta,quindi versare la cagliata in uno scolapasta rivestito di mussola di burro pulita e umida. Lasciar scolare la cagliata per 6-10 ore o fino a quando non si raggiunge il livello di umidità desiderato; un drenaggio più lungo risulterà in quark più secco.

6. Trasferite la cagliata in una ciotola e conditela con il sale, piegandola delicatamente con una spatola di gomma. Lasciar scolare per altri 5 minuti se il siero in eccesso è presente. Utilizzare subito o conservare in frigorifero in un contenitore coperto per un massimo di 2 settimane.

FORMAGGI SALATI E SALATI

14. Cotija

RENDE 1 libbre

- 2 galloni di latte vaccino intero pastorizzato
- 1 cucchiaino di coltura starter mesofila in polvere Meso II
- 1 cucchiaino di coltura starter termofila in polvere Thermo B
- 1 cucchiaino di cloruro di calcio diluito in ¼ di tazza di acqua fredda non clorata
- 1 cucchiaino di caglio liquido diluito in ¼ di tazza di acqua fredda non clorata
- Sale kosher (preferibilmente di marca Diamond Crystal) o sale al formaggio

1. Assembla l'attrezzatura, le scorte e gli ingredienti, tra cui un termometro da latte o da cucina, uno stampo per tomme da 5 pollici con un follower e una pressa per formaggio o 15 libbre di peso. Pulisci e sterilizza l'attrezzatura secondo necessità e stendila su carta da cucina pulita.

2. In una pentola da 10 quarti non reattiva a fuoco basso, riscalda lentamente il latte a 100 ° F, mescolando di tanto in tanto per evitare che si scaldi. Questo dovrebbe richiedere circa 25 minuti. Turnfuori dal fuoco.

3. Quando il latte sarà a temperatura, cospargere gli antipasti sul latte e lasciarlo reidratare per 5 minuti. Sbatti gli antipasti nel latte per incorporarli, con un movimento su e giù per 20 colpi. Coprite e, mantenendo la temperatura a 100 ° F, lasciate maturare il latte per 30 minuti.
4. Aggiungere il cloruro di calcio diluito al latte e incorporare con la stessa tecnica del su e giù, quindi aggiungere il caglio diluito nello stesso modo.
5. Coprite e mantenete la temperatura a 100 ° F per 1 ora e mezza, o fino a quando la cagliata non si rompe nettamente al taglio.

6. Continuando a mantenere la cagliata a 100 °F, tagliateli a pezzi da ½ pollice e lasciate riposare per minuti. Aumenta lentamente la temperatura a 105 ° F per 10 minuti, mescolando delicatamente intorno al bordo della pentola con una spatola di gomma e spostando continuamente la cagliata su Orm sulla superficie per

evitare che si opacizzino. La cagliata espellerà il siero di latte e si ridurrà alle dimensioni delle lenticchie. Lascia riposare la cagliata per 10 minuti, mantenendo comunque i 105 ° F.

7. Posiziona un colino non reattivo su una ciotola o un secchio non reattivo abbastanza grande da catturare il siero di latte. Foderalo con mussola di burro pulita e umida e versaci delicatamente la cagliata. Lascia scolare per 15 minuti o finché il siero non smette di gocciolare. Distribuire 1 cucchiaino e mezzo di sale sulla cagliata e con le mani mescolare delicatamente la cagliata per incorporarla, facendo attenzione a non rompere la cagliata durante il processo.

8. Posizionare lo stampo per tomme da 5 pollici su una griglia scolata sopra una teglia. Foderare lo stampo con una garza umida o una mussola al burro. Trasferire delicatamente la cagliata scolata nello stampo per formaggio foderato, coprire con le code della tela e adagiare il follower sopra la cagliata. Premere a 15 libbre per 30 minuti. Rimuovere il formaggio dallo stampo e sbucciare il panno, asciugare il formaggio e riparare. Premere di nuovo alla stessa pressione per 8 ore o durante la notte.

9. Due o più ore prima di averne bisogno, prepara la salamoia unendo 1 ½ tazza di sale e 1 litro d'acqua in un secchio non corrosivo o in un contenitore con coperchio; raffreddare a 50 ° F a 55 ° F. Togli il formaggio dallo stampo e scartalo, quindi mettilo nella salamoia. Lascialo

in ammollo a una temperatura compresa tra 50 ° F e 55 ° F per 24 ore, ribaltandolo dopo 12 ore per distribuire uniformemente la salamoia.

10. Togli il formaggio dalla salamoia e asciugalo tamponando. Asciugare all'aria per 6 ore,poi mettere su una stuoia di formaggio in una scatola di stagionatura. Invecchiare a 55 ° F con un'umidità compresa tra l'80 e l'85%, girando ogni giorno. Rimuovere eventuali muffe indesiderate con una garza inumidita in una soluzione di sale e aceto e pulire la scatola per mantenere l'umidità. Dopo 2 settimane, avvolgere il formaggio in carta da formaggio e conservare in frigorifero per un massimo di altre 4 settimane. In alternativa, sigillare il formaggio sottovuoto e conservare in frigorifero per un massimo di 2 mesi.

15. Ricotta salata

FA 12 once

- 1 gallone di latte vaccino intero pastorizzato
- ½ tazza di panna
- 1 cucchiaino di acido citrico in polvere
- Sale kosher (preferibilmente di marca Diamond Crystal) o sale al formaggio

1. Segui la ricetta della ricotta di latte intero. Aggiungere 1 cucchiaio di sale kosher o sale di formaggio alla cagliata e mescolare con le mani per distribuire. Foderare uno stampo per ricotta con una garza pulita e umida e disporlo su una griglia scolata su una teglia. Premere il

formaggio nello stampo, coprire con le code della garza e appesantirlo con un peso leggermente inferiore a 2 libbre, come un barattolo da mezzo litro pieno d'acqua. Premere per 1 ora, quindi sformare il formaggio, scartarlo, strapparlo, rivestirlo nella stessa garza e rimetterlo nello stampo. Premilo allo stesso peso per 12 ore o durante la notte.

2. Sformare e scartare il formaggio, quindi strofinare leggermente la superficie con sale kosher o formaggio. Rivestire il formaggio con una garza pulita, rimetterlo nello stampo, metterlo su uno stendino in una scatola di stagionatura e conservare in frigorifero per 12 ore.

3. Togliere il formaggio dalla garza, coprirlo e strofinare con altro sale, quindi rimettere il formaggio nudo nello stampo. Continua questo processo di ribaltamento e salatura una volta al giorno per 7 giorni per estrarre l'umidità e assistere nel processo di stagionatura. Dopo 3 giorni togliere il formaggio dallo stampo e continuare a stagionare sulla griglia. In caso di muffa indesiderata, pulirla con una garza inumidita in una soluzione di sale e aceto.

4. Dopo 1 settimana, o quando è stata raggiunta la consistenza desiderata, spazzolare via il sale in eccesso dalla superficie, coprire e stagionare il formaggio in frigorifero fino a ottenere la consistenza desiderata. Utilizzare subito o avvolgere in carta da formaggio e conservare in frigorifero per almeno 2 settimane e fino a 2 mesi.

5.

16. Feta

- 1 gallone di latte di capra pastorizzato
- 1 cucchiaino di lipasi delicata in polvere diluita in ¼ di tazza di acqua fredda non clorata 20 minuti prima dell'uso (opzionale)
- 1 cucchiaino di coltura starter mesofila in polvere Aroma B.
- 1 cucchiaino di cloruro di calcio liquido diluito in ¼ di tazza di acqua fredda non clorata (omettere se si utilizza latte crudo)
- ½ cucchiaino di caglio liquido diluito in ¼ di tazza di acqua fredda non clorata
- 2-4 cucchiai Eake sale marino o sale kosher (preferibilmente di marca Diamond Crystal)
- Sale kosher (preferibilmente di marca Diamond Crystal) o sale di formaggio per la salamoia (facoltativo)

1. Assembla l'attrezzatura, le scorte e gli ingredienti, incluso un termometro da cucina o da latte; pulire e

sterilizzare l'attrezzatura secondo necessità e stenderla su carta da cucina pulita.

2. In una pentola pesante da 6 quarti non reattiva, unire il latte e la lipasi diluita, se utilizzata, sbattendo delicatamente la lipasi nel latte con un movimento su e giù per 20 colpi. Mettere a fuoco basso e riscaldare lentamente il latte a 30 ° C. Questo dovrebbe richiedere dai 18 ai 20 minuti. Turnfuori dal fuoco.
3. Quando il latte sarà a temperatura, cospargere il latte con lo starter e lasciarlo reidratare per 2 minuti. Sbatti lo starter nel latte per incorporarlo, con un movimento su e giù per 20 colpi. Coprite e, mantenendo la temperatura a 30 ° C, lasciate maturare il latte per 1 ora. (Fare riferimento ai suggerimenti su come mantenere il latte o la cagliata a una temperatura costante per un periodo di tempo.)

4. Aggiungere il cloruro di calcio diluito al latte maturo e mescolare delicatamente con una frusta con un movimento su e giù per 1 minuto. Aggiungere il caglio diluito e incorporare allo stesso modo. Coprire e mantenere a 30 ° C per 1 ora, o fino a quando la cagliata non forma una massa solida con un rivestimento di siero di latte giallo chiaro sulla parte superiore e mostra una rottura netta. Se non ci sono pause nette dopo 1 ora, riprovare dopo 15 minuti.

5. Taglia la cagliata a pezzi da ½ pollice. Mantenendo ancora una temperatura di 30 ° C, lasciali riposare indisturbati per 10 minuti. Usando una spatola di gomma,

mescolare delicatamente la cagliata per 20 minuti per rilasciare più siero di latte e mantenere la cagliata dalla stuoia. La cagliata apparirà più simile a un cuscino alla fine di questo processo. Se vuoi una cagliata Krmer, aumenta la temperatura a 90 ° F per questo passaggio. Lasciate riposare la cagliata per 5 minuti, indisturbata, ancora a temperatura. La cagliata si depositerà sul fondo della pentola.

6.

7. Foderare uno scolapasta con una garza pulita e umida o una mussola di burro e, usando una schiumarola, trasferire la cagliata nello scolapasta. Lega gli angoli del panno insieme per creare un sacco drenante, quindi lascialo scolare per 2 ore o fino a quando il siero non ha smesso di ribaltarsi. Il

8. la cagliata dovrebbe formare una massa solida e sentire la giusta consistenza; in caso contrario, lasciarli asciugare per un'altra ora. Se si desidera una forma più uniforme, dopo ½ ora di sgocciolamento nello scolapasta, trasferire il sacco in uno stampo da formaggio quadrato o in un cestello per pomodori a rete di plastica adagiato su una griglia scolapasta. Foderate lo stampo con il sacco di cagliata, pressate il formaggio negli angoli dello stampo e terminate lo sgocciolamento. Rimuovere il formaggio dal panno e anca ogni ora in questo processo di sgocciolamento per aiutare a uniformare la consistenza e ammorbidire il formaggio.

9. Quando sarà scolato, trasferite il formaggio in una ciotola. Tagliarlo a fette spesse 1 pollice e poi a cubetti da 1 pollice. Cospargere i pezzi con 6ake sale marino,

assicurandosi che tutte le superfici siano coperte. Coprite la ciotola con un coperchio o pellicola trasparente e lasciate maturare nel sale per 5 giorni in frigorifero. Controllare quotidianamente e versare l'eventuale siero di latte espulso. La feta può essere utilizzata a questo punto o conservata in salamoia per altri 21 giorni. Se il formaggio finito è troppo salato per i tuoi gusti, immergilo in acqua non clorata per 1 ora, quindi lascialo scolare prima dell'uso. La feta può essere conservata per alcuni mesi in salamoia.

17. Halloumi

FA 12 once

- 1 gallone di latte vaccino intero pastorizzato
- 1 cucchiaino di polvere di lipasi delicata sciolta in ¼ di tazza di acqua fredda non clorata 20 minuti prima dell'uso (opzionale)
- 1 cucchiaino di cloruro di calcio diluito in ¼ di tazza di acqua fredda non clorata (omettere se si utilizza latte crudo)
- 1 cucchiaino di caglio liquido diluito in ¼ di tazza di acqua fredda non clorata

- 1 cucchiaino di menta secca (opzionale)
- Sale kosher (preferibilmente di marca Diamond Crystal) o sale di formaggio per la salamoia

1. Assembla l'attrezzatura, le scorte e gli ingredienti, incluso un termometro da cucina o da latte; avrai anche bisogno di uno stampo da 5 pollici con un follower e una pressa per formaggio o un peso di 8 libbre (un contenitore da un gallone pieno d'acqua andrà bene). Pulisci e sterilizza l'attrezzatura secondo necessità e stendila su carta da cucina pulita.

2. In una pentola pesante da 6 quarti non reattiva, scalda lentamente il latte a fuoco basso a 90 ° F. Questo dovrebbe richiedere circa 20 minuti. Accendi il fuoco.

3. Se usi la lipasi, sbattila delicatamente nel latte con un movimento su e giù per 1 minuto, poi lasciate riposare per 5 minuti. Aggiungere il cloruro di calcio diluito e mescolare delicatamente con una frusta con un movimento su e giù per 1 minuto. Aggiungere il caglio diluito e incorporare allo stesso modo. Coprite e, mantenendo la temperatura a 90 ° F, lasciate maturare il latte per 45 minuti, o fino a quando la cagliata non dà una rottura netta quando viene tagliata con un coltello. Mantenendo ancora 90 ° F, tagliare la cagliata in pezzi da ¾ pollici e lasciare riposare per 5 minuti.

4. A fuoco basso, porta lentamente la cagliata a 104 ° F per un periodo di 15 minuti. La cagliata si spezzerà leggermente. Mantenendo la temperatura di 104 ° F, mescolare delicatamente e continuamente con una spatola di gomma per 20 minuti. La cagliata si restringerà e si rassoderà leggermente, assumendo una forma individuale.

Lasciate riposare la cagliata per 5 minuti, mantenendo la temperatura. Affonderanno

5. verso il basso e il siero di latte salirà verso l'alto. Mestolo o abbastanza siero di latte per esporre la parte superiore della cagliata.

6. Posiziona un colino non reattivo su una ciotola o un secchio non reattivo abbastanza grande da catturare il siero di latte. Allinearlo conpulire, inumidire la mussola di burro e versarvi delicatamente la cagliata. Mescolare la menta secca con la cagliata se si utilizza e lasciare scolare per 15 minuti o fino a quando il siero non smette di ribaltarsi. Riservare il siero di latte per un uso successivo nella ricetta, conservandolo in frigorifero per evitare che si inacidisca.
7.
8. Posizionare lo stampo per tomme da 5 pollici su uno scolapiatti posto su un vassoio. Foderare lo stampo con una garza pulita e umida, quindi trasferire delicatamente la cagliata scolata nello stampo. Coprire la parte superiore della cagliata con la garza in eccesso e adagiarvi sopra il follower. Posizionare lo stampo in una pressa per formaggio o posizionare un peso di 8 libbre sopra il follower e premere a 8 libbre di pressione per 3 ore.

9. Rimuovere il formaggio dallo stampo, sbucciare la garza, rovesciare il formaggio e rivestire con la garza. Premere di nuovo a 8 libbre per altre 3 ore.

10. Rimuovere la cagliata pressata dallo stampo e tagliare i bordi arrotondati per creare un quadrato di 4 pollici. Riservare le guarnizioni da utilizzare come condimento di formaggio sbriciolato. Se la cagliata pressata ha uno spessore di 2 pollici o più, dimezza la lastra orizzontalmente.

11. Usando una pentola per la produzione del formaggio, riscalda lentamente il siero di latte riservato a 190 ° F per 30 minuti. Metti il quadrato o i quadrati di cagliata nel siero di latte caldo e cuoci per 30-35 minuti, o fino a quando il formaggio si restringe leggermente e l'avena sopra il siero di latte. Assicurati di mantenere la temperatura durante la cottura e non far bollire il siero di latte.

12. Utilizzando una schiumarola a rete, rimuovere il formaggio dal siero e metterlo su una griglia a raffreddare. Asciugare all'aria, ribaltando almeno una volta, fino a quando le superfici sono asciutte al tatto, circa 30 minuti.

13. Nel frattempo, prepara una pasta medio-pesante salamoia unendo il sale con 1 gallone di acqua da 50 ° F a 55 ° F. Mettere il formaggio essiccato in un contenitore non corrosivo e coprire con la salamoia fredda. Conservare coperto in frigorifero per 5 giorni o fino a 2 mesi. Conserva la salamoia inutilizzata in un contenitore etichettato a una temperatura compresa tra 50 ° F e 55 ° F per un'altra salamoia.

FORMAGGI STAGIONATI

18. Mozzarella tradizionale

FA 1 libbra

- Latte intero vaccino o caprino pastorizzato da 1 gallone
- 1 cucchiaino di coltura starter termofila in polvere Thermo B
- 1 cucchiaino di cloruro di calcio diluito in ¼ di tazza di acqua fredda non clorata ¾ cucchiaino di caglio liquido diluito in ¼ di tazza di acqua fredda non clorata
- Sale kosher (preferibilmente di marca Diamond Crystal) o sale di formaggio per la salamoia

1. In una pentola non reattiva da 6 quarti, riscalda lentamente il latte a 35 ° F a fuoco basso; questo dovrebbe richiedere circa 20 minuti. Spegni il fuoco.

2. Cospargere lo starter sul latte e lasciarlo reidratare per 5 minuti. Mescolare bene usando una frusta in un su e

giùmovimento per 20 colpi. Copri e mantieni una temperatura compresa tra 90 ° F e 95 ° F, lasciando maturare il latte per 45 minuti. Aggiungere il cloruro di calcio diluito e mescolare delicatamente. Lasciare riposare per 10 minuti. Aggiungere il caglio diluito e mescolare delicatamente. Coprire e lasciare riposare, mantenendo 90 ° F a 35 ° F per 1 ora, o fino a quando la cagliata non si rompe.

3. Taglia la cagliata in pezzi da ½ pollice e lasciala riposare indisturbata per 30 minuti, mantenendo una temperatura tra 90 ° F e 35 ° F. Durante questo periodo la cagliata si solleverà e rilascerà più siero di latte. A fuoco basso, aumenta lentamente la temperatura a 105 ° F per 30 minuti, mescolando delicatamente di tanto in tanto e controllando frequentemente la temperatura e regolando il calore secondo necessità. Se alzi la temperatura troppo velocemente, la cagliata non si coagulerà né si legherà correttamente. Una volta raggiunti i 105 ° F, togliete dal fuoco e, utilizzando una gommaspatola, mescolare delicatamente per 10 minuti attorno ai bordi della pentola e sotto la cagliata per spostarli. Mantenendo la temperatura, lasciare riposare la cagliata per altri 15 minuti; affonderanno fino in fondo.

4. Foderare uno scolapasta con mussola di burro umida, posizionarlo su un'altra pentola e versarvi la cagliata con una schiumarola. Lasciar scolare per 15 minuti o finché la cagliata non smette di gocciolare il siero. Riserva il siero di latte.

5. Riportare delicatamente la cagliata scolata nella pentola originale e metterla a bagnomaria da 102 ° F a 105 ° F. Mantenere la temperatura del bagnomaria per 2 ore. La cagliata si scioglierà l'una nell'altra, legandosi in una lastra; girare la lastra due volte durante questo periodo, usando una spatola.

6. Quando sono trascorse 2 ore, inizia a testare il pH della cagliata usando un pHmetro o strisce di pH. Controllare il pH ogni 30 minuti durante questo periodo; una volta che scende al di sotto di 5.6, controllalo ogniminuti, poiché scenderà rapidamente dopo questo punto. Una volta che il pH scende nell'intervallo da 4,9 a 5,2, la cagliata è pronta per allungarsi.

7. Trasferite la cagliata in un colino caldo, lasciatela scolare per un paio di minuti, quindi trasferite su un tagliere sterilizzato. Taglia la cagliata a cubetti di circa 1 pollice e mettili in una ciotola di acciaio inossidabile pulita abbastanza grande da contenerli con molto spazio libero (la cagliata sarà ricoperta di liquido caldo).
8. In una pentola pulita, riscaldare 4 litri di acqua o del siero di latte riservato a 170 ° F a 180 ° F. Versalo sulla cagliata per coprirli completamente.

9. Indossando guanti resistenti al calore, lavorare i cubetti di cagliata sommersi in una grande palla, impastandola e modellandola nell'acqua calda. Una volta che la cagliata è stata modellata in una palla di Wrm, sollevala fuori dall'acqua e, lavorando rapidamente, tirala e allungala in una lunga corda lunga circa 18 pollici.

10. Se la corda della cagliata si raffredda e diventa fragile, immergila nell'acqua calda per renderla di nuovo calda e flessibile. Avvolgere la corda su se stessa, quindi tirare e allungare di nuovo due o tre volte, solo fino a quando la cagliata è lucida e liscia. (Il processo è qualcosa come lo stretching taKy.) Fai attenzione a non lavorare troppo la cagliata, o indurirai il formaggio.

11. La cagliata è ora pronta per la formatura. Per formare una palla, pizzica la quantità che vuoi modellare, allungando la superficie della palla in modo che diventi tesa e lucida; infilare le estremità nella parte inferiore come se formassero una palla di pasta per pizza.
12. Capovolgi la palla con la mano e premi i bordi inferiori verso l'alto al centro della palla, nel palmo della mano. Immergi immediatamente la pallina in una ciotola di acqua ghiacciata per farla raffreddare e farla raffreddare per 10 minuti.

13. Mentre il formaggio si raffredda, preparare una leggera salamoia . Puoi usare il siero di latte riservato per la salamoia, integrando l'acqua secondo necessità per uguagliare 3 quarti, sciogliendo 9 once di sale kosher e raffreddandolo a 50 ° F a 55 ° F.
14. Ciò si traduce in un formaggio finito meno salato. Per un formaggio finito più salato, preparare 3 quarti di salamoia satura e raffreddare a una temperatura compresa tra 50 ° F e 55 ° F. Metti il formaggio freddo nella soluzione di salamoia. Se si utilizza la salamoia satura, immergere il formaggio per 20 minuti, bagnandolo alcune volte.
15. Se si utilizza la salamoia di siero di latte più debole, è possibile lasciare il formaggio nella salamoia, in

frigorifero, per un massimo di 8 ore, ribaltando il formaggio alcune volte. In ogni caso, rimuovere dalla salamoia e utilizzare immediatamente, oppure riporlo in un contenitore per alimenti in plastica, coprire con acqua e conservare in frigorifero per un massimo di 1 settimana.

19. Burrata

PRODUCE 4 buste grandi o 8 buste piccole

- Preparare la Mozzarella Tradizionale fino a stenderla e modellarla in un'unica palla liscia e raffreddarla in acqua ghiacciata.
- Prepara il ripieno che preferisci:

1. RIPIENO DELLA MOZZARELLA: ritagli di mozzarella spezzettati in piccoli pezzi e mescolati con una piccola quantità di panna per inumidire
2. RIPIENO DI MASCARPONE: ¾ tazza di mascarpone mescolato bene con 1 ½ ½ di burro morbido non salato e ¼ di cucchiaino di sale, raffreddare fino a rm, quindi formare 4 palline di Plling e mettere da parte su carta forno e raffreddare fino al momento dell'uso

3. RIPIENO DI RICOTTA: 1 tazza di ricotta (per essere tradizionali, puoi fare la tua ricotta di siero di latte mentre fai la mozzarella per questa ricetta)

4. Dividi la mozzarella in quattro porzioni da 4 once, metti i pezzi in una ciotola e coprili con acqua da 170 ° F a 180 ° F. quando

5. la mozzarella è riscaldata e flessibile, circa 5 minuti, tirare fuori i pezzi dall'acqua e allungarli rapidamente in quadrati di circa 4 pollici, a coppa nel palmo della mano o pressati in forma su un tagliere. Se lo desideri, mentre formi i quadrati puoi drappeggiarli all'interno di un mestolo di acciaio inossidabile da 4 once per modellarli in sacchetti; immergere il mestolo nell'acqua calda se serve per mantenere elastica la mozzarella.

6. Una volta che un pezzo di mozzarella è teso, riempirlo con 1 ½ once o giù di lì di ripieno e tirare rapidamente 2 aps opposti su e sopra il ripieno per racchiudere completamente. Unisci le altre 2 aps e stringile, quindi immergi brevemente la busta nell'acqua calda per sigillare.

7. Liscia la superficie della palla con il palmo della mano e mettila in un bagno di ghiaccio a raffreddare per 2 o 3 minuti. Forma e riempi le altre buste. Se lo desideri, puoi legare un'erba cipollina attorno alla chiusura prima di raffreddare.

20. Queso Oaxaca

1. Per fare il queso Oaxaca nello stile della Mozzarella Company, prepara la Mozzarella Tradizionale fino a sciogliere la cagliata nel siero di latte caldo. Pizzica o pezzi delle dimensioni di un palmo della palla di cagliata sommersa impastata, quindi tira e allunga i pezzi caldi in nastri larghi 1 pollice di circa 2 piedi.
2. Stendi i nastri sottili su una superficie di lavoro in una corda continua di cagliata avanti e indietro, come una caramella a nastro. Salate generosamente i nastri caldi con sale kosher e lasciate agire per 5 minuti. Quindi spremere il succo di 1 lime sopra e strofinare delicatamente il sale e il succo di lime sui nastri.
3. Lasciare agire per 10 minuti, quindi avvolgere i nastri in palline filiformi delle dimensioni del tuo Lst, incrociando i fili mentre la palla si forma e piegando alla fine. Metti la palla sul piano di lavoro per scolare mentre formi il resto della cagliata in palline (ne avrai 4 o 5 in totale).

4. Fai 2 quarti di salamoia leggera, raffreddata a 50 ° F a 55 ° F. Immergere le palline nella salamoia per 15 minuti, quindi rimuoverle e lasciarle scolare per 30 minuti prima di avvolgerle nella pellicola e metterle in frigorifero per una notte, o fino a 10 giorni.

21. Bocconcini

1. Per fare i bocconcini, segui la ricetta della Mozzarella Tradizionale fino al punto in cui avrai tagliato la cagliata a cubetti e scaldato il siero di latte, ma non avrai versato il siero caldo sui cubetti.

2. Mettere una manciata di cagliata a cubetti in una schiumarola o un mestolo forato e, indossando guanti resistenti al calore, immergere l'utensile nel siero di latte caldo per alcuni secondi, sciogliendo la cagliata fino a renderla estensibile.

3. Usando un cucchiaio o le dita, e lavorando velocemente, impastare la cagliata sciolta nell'utensile, versandola nuovamente nel siero caldo secondo necessità per mantenere la cagliata flessibile.

4. Quando la cagliata è impastata in una palla Nrm, tirarla e allungarla in una piccola corda e ripiegarla su se stessa, ripetendo alcune volte fino a quando la palla di cagliata è liscia, flessibile e lucida. Non lavorare troppo la cagliata o indurirai il formaggio.

5. Formare la cagliata a forma di palla da morso e metterla in una ciotola di acqua ghiacciata per 10 minuti in modo che si raffreddi e Prm up. Ripetere con il resto della cagliata fino a quando non saranno tutte tese e formate in palline.

6. Fai una salamoia con il siero di latte caldo sciogliendo 6 once di sale kosher e aggiungendo acqua per fare 2 quarti di salamoia, quindi raffreddalo a 50 ° F a 55 ° F.

7. Mettere il formaggio freddo nella salamoia del siero di latte per 2 ore. Utilizzare immediatamente per un sapore migliore, o conservare nel siero di latte salato, coperto e refrigerato, per un massimo di 1 settimana.

22. Mozzarella Junket

FA 1 libbra

- Latte vaccino intero da 1 gallone pastorizzato ma non omogeneizzato
- 7 cucchiai di aceto distillato (5% di acidità)
- 4 compresse di caglio di ginepro sciolto in ½ tazza di acqua fredda non clorata
- 1 cucchiaino e mezzo più ¼ di tazza di sale kosher (

1. In una pentola non reattiva da 6 quarti, riscaldare lentamente il latte a 88 ° F a fuoco basso; questo dovrebbe richiedere circa 20 minuti. Incorporare l'aceto usando una frusta con un movimento su e giù per incorporare completamente. Aggiungere il caglio sciolto e mescolare delicatamente per 1 minuto.

2. Aumenta lentamente la temperatura a 90 ° F per 8 minuti. Togliete dal fuoco, coprite e lasciate riposare,

mantenendo la temperatura per 1 ora, finché la cagliata non formerà una massa solidadi piccola cagliata legata dalla consistenza del tofu morbido. Alcune piccole cagliate possono galleggiare nel siero di latte giallo chiaro. Controlla se c'è una rottura pulita, e se non c'è una rottura pulita, ricontrolla tra 15 minuti.

3. Tagliate la cagliata a pezzi da ½ pollice e lasciate riposare indisturbata per 10 minuti, mantenendoli a 30 ° C. A fuoco basso, aumenta la temperatura a 108 ° F in 15 minuti, mescolando delicatamente ogni 5 minuti e controllando frequentemente la temperatura e regolando il calore secondo necessità. Se alzi la temperatura troppo velocemente, la cagliata non si coagulerà e non si legherà correttamente.

4. Una volta raggiunti i 108 ° F, togliete dal fuoco e, usando una spatola di gomma, mescolate delicatamente per 10 minuti attorno ai bordi della pentola e sotto la cagliata per spostarli ed espellere altro siero di latte. Lascia riposare la cagliata per altri 15 minuti. A questo punto la cagliata sarà leggermente al di sotto della superficie del siero.

5. Premere delicatamente una delle cagliate tra due dita. Dovrebbe sembrare elastico ed elastico; in caso contrario, lasciare la cagliata per 10 minuti e poi provare di nuovo.

6. Foderare uno scolapasta con mussola di burro umida, posizionarlo su un'altra pentola e versarvi la cagliata con una schiumarola. Lasciar scolare per 15 minuti, o fino a quando il siero di latte non ha smesso di gocciolare e la cagliata si è compattata insieme. Riserva il siero di latte.

7. Aggiungere 1 cucchiaino e mezzo di sale al siero di latte e mescolare per sciogliere. Riscaldare lentamente il siero di latte a fuoco medio-basso a 175 ° F a 180 ° F; questo dovrebbe richiedere circa 30 minuti.

8. Nel frattempo avvolgere la mussola sulla cagliata e adagiare la confezione su un tagliere. Appiattisci leggermente la cagliata e lasciala riposare per 20 minuti. Aprire la mussola e tagliare la lastra di cagliata in strisce o pezzi da ½ pollice.

9. Mettere una manciata di strisce o pezzi di cagliata in una schiumarola o un mestolo forato e, indossando guanti resistenti al calore, immergere l'utensile nel siero caldo per diversi secondi, sciogliendo la cagliata fino a quando non si allunga.

10. Usando un cucchiaio o le dita e lavorando velocemente, impastare la cagliata sciolta nell'utensile, versandola nuovamente nel siero caldo secondo necessità per mantenere la cagliata flessibile. Quando la cagliata è impastata in una palla di Grm, tirarla e allungarla in una piccola corda e ripiegarla su se stessa, ripetendo alcune volte fino a quando la palla di cagliata è liscia, flessibile e lucida.

11. Non lavorare troppo la cagliata o indurirai il formaggio. Formare una palla con la cagliata e metterla in una ciotola di acqua ghiacciata per 10 minuti in modo che si raffreddi e si ammorbidisca. Ripeti l'operazione di sciogliere,

impastare, allungare, modellare e raffreddare con le restanti strisce di cagliata.

12. Rendere una salamoia leggera sciogliendo ¼ di tazza di sale kosher nel siero di latte caldo, quindi raffreddalo a 50 ° F a 55 ° F. Mettere il formaggio freddo nella salamoia per 2 ore. Utilizzare immediatamente per un sapore migliore, o conservare nel siero di latte salato, coperto e refrigerato, per un massimo di 1 settimana.

23. Formaggio a pasta filata

FA 1 libbra

- Latte vaccino pastorizzato da 1 gallone a basso contenuto di grassi (1 percento) o ridotto (2 percento)
- 1 cucchiaino di coltura starter termofila in polvere Thermo B
- 1 cucchiaino di cloruro di calcio diluito in ¼ di tazza di acqua fredda non clorata
- ¾ cucchiaino di caglio liquido diluito in ¼ di tazza di acqua fredda non clorata
- Sale kosher (preferibilmente marca Diamond Crystal) per la salamoia

1. In una pentola non reattiva da 6 quarti, riscaldare lentamente il latte a 35 ° F; questo dovrebbe richiedere circa 25 minuti. Spegni il fuoco.

2. Cospargere lo starter sul latte e lasciarlo reidratare per 5 minuti. Mescolare bene usando una frusta con un movimento su e giù. Copri e mantieni una temperatura compresa tra 90 ° F e 95 ° F, lasciando maturare il latte per 45 minuti.

3. Aggiungere il cloruro di calcio diluito e mescolare delicatamente. Lasciare riposare per 10 minuti. Aggiungere il caglio diluito e mescolare delicatamente. Coprire e lasciare riposare, mantenendo 90 ° F a 35 ° F per 1 ora, o fino a quando la cagliata non si rompe.

4. Tagliate la cagliata a pezzi da ½ pollice e lasciate riposare indisturbata per 30 minuti, mantenendo a

5. Temperatura da 90 ° F a 95 ° F. Durante questo periodo la cagliata si solleverà e rilascerà più siero di latte. A fuoco basso, aumenta lentamente la temperatura a 105 ° F per 30 minuti, mescolando delicatamente e controllando frequentemente la temperatura e regolando il calore secondo necessità.

6. Se alzi la temperatura troppo velocemente, la cagliata non si coagulerà e non si legherà correttamente. Una volta raggiunti i 105 ° F, togliete dal fuoco e, usando una spatola di gomma, mescolate delicatamente per 10 minuti

attorno ai bordi della pentola e sotto la cagliata per spostarli.

7. Mantenendo la temperatura, lasciare riposare la cagliata per altri 15 minuti; affonderanno fino in fondo.

8. Usando una schiumarola o una schiumarola, trasferisci la cagliata in uno scolapasta o colino sarà sulla stessa pentola, riservando 5 pollici di siero di latte nella pentola.
9. Metti il colino della cagliata sopra la pentola. A fuoco basso, riscalda il siero di latte nella pentola a una temperatura compresa tra 102 ° F e 105 ° F nel corso dei minuti. Coprite la cagliata nello scolapasta con il coperchio della pentola mentre il siero si riscalda; più siero di latte scenderà nella pentola sottostante.
10. Quando il siero di latte è a temperatura, togliere dal fuoco e tenere a una temperatura compresa tra 102 ° F e 105 ° F per 2 ore. La cagliata si scioglierà l'una nell'altra, legandosi in una lastra; girare la lastra due volte durante questo periodo, usando una spatola.

11. Quando sono trascorse 2 ore, inizia a testare il pH della cagliata con un pHmetro o strisce di pH ogni 30 minuti. Quando il pH scende al di sotto di 5,6, inizia a controllare ogni 15 minuti. Una volta che il pH scende nell'intervallo da 4,9 a 5,2, la cagliata è pronta per allungarsi.

12. Trasferisci la cagliata su un tagliere. Tagliare la cagliata a cubetti di circa ½ pollice e metterli in una ciotola di

acciaio inossidabile pulita abbastanza grande da contenerli con molto spazio libero (la cagliata sarà ricoperta di liquido caldo). In una pentola pulita, riscaldare 4 litri di acqua o del siero di latte riservato a 170 ° F a 180 ° F. Versalo sulla cagliata per coprirli completamente.

13. Indossando guanti resistenti al calore, lavorare i cubetti di cagliata sommersi in una grande palla, impastandola e modellandola nell'acqua calda. Una volta che la cagliata viene modellata in un Wrmpalla, sollevalo fuori dall'acqua e, lavorando rapidamente, tiralo e allungalo in una corda lunga 8 pollici.

14. Se la cagliata si raffredda e diventa fragile, immergila nell'acqua calda per renderla di nuovo calda e flessibile.

15. Lavorando longitudinalmente lungo la fune, tirare o sezioni da 1 pollice e, lavorando rapidamente, tirare e allungare le lunghezze in funi lunghe 1 piede e spesse 1 pollice, quindi ripiegarle su se stesse due o tre volte, allungandole ogni volta . Più le strisce sono tese, più il formaggio sarà fibroso. Posizionare le lunghezze allungate su un tagliere.

16. Usando le forbici da cucina o un coltello, tagliare le lunghezze in pezzi lunghi 6-8 pollici. In gruppi di 3, attorcigliali insieme per sembrare una treccia. Una volta formati, mettere subito i pezzi in una ciotola di acqua ghiacciata per 5 minuti in modo che si raffreddino e si ammorbidiscano.

17. Fai una luce salamoia sciogliendo 6 once di sale kosher in tutto il siero di latte, aggiungendo acqua se necessario per fare 2 quarti e raffreddandolo a 50 ° F a 55 ° F. Questa salamoia leggera si traduce in un formaggio dalla finitura meno salata.

18. Per un formaggio più salato, prepara 2 quarti di salamoia satura e lascialo raffreddare a una temperatura compresa tra 10 e 18 ° C. Metti il formaggio freddo nella soluzione di salamoia. Se si utilizza la salamoia satura, immergere il formaggio per 10-15 minuti; se si utilizza la salamoia di siero di latte più debole, è possibile lasciare il formaggio in salamoia, in frigorifero, per un massimo di 4 ore. Capovolgere il formaggio alcune volte utilizzando la salamoia satura o la salamoia del siero di latte.

19. Rimuovere dalla salamoia e utilizzare immediatamente, oppure avvolgere in un involucro di plastica e conservare in frigorifero per un massimo di 5 giorni, oppure sigillare sottovuoto e conservare in frigorifero per un massimo di 1 mese.

24. Formaggio Di Pane

1. Il formaggio viene cotto per sciogliersi e sviluppare una sottile crosta dorata dal grasso che viene portato in superficie quando la lastra di cagliata si riscalda. Viene servito con il pane come spuntino o riscaldato a colazione.

2. Per fare il formaggio da pane, fare il formaggio a pasta intrecciata fino al punto in cui la cagliata tagliata si scioglie nella ciotola dell'acqua calda. Indossando guanti resistenti al calore, lavora la cagliata fusa in una lastra abbastanza grande da riempire la padella. Ripiegare la lastra su se stessa nel senso della lunghezza, quindi allungarla di nuovo fino alle dimensioni della padella. Ripeti altre due volte, scartando l'eventuale siero di latte che viene espulso nello stretching.

3. Preriscalda la piastra a fuoco medio-alto. Posizionare la lastra nella padella riscaldata e cuocere fino a farla sciogliere leggermente e formare una crosticina dorata sul fondo del formaggio. Usando una spatola, capovolgilo e fai rosolare l'altro lato per circa 5 minuti.

4. Togliete dal fuoco e lasciate raffreddare leggermente il formaggio nella padella. Togliete dalla padella e tagliate a fette e servite ancora caldo. Il formaggio da pane può essere sigillato sottovuoto o avvolto strettamente in un foglio e refrigerato per un massimo di 3 mesi. Per servire, riscaldalo in un forno a 350 ° F o sotto la griglia.

25. Kasseri

FA due formaggi da 1 libbra

- 5 litri di latte vaccino intero pastorizzato
- 2 litri di latte di capra pastorizzato
- 1 litro pastorizzato metà e metà
- ¼ di cucchiaino di coltura starter termofila in polvere Thermo B
- 1 cucchiaino di polvere di lipasi delicata sciolta in ¼ di tazza di acqua fredda non clorata 20 minuti prima dell'uso
- 1 cucchiaino di cloruro di calcio diluito in ¼ di tazza di acqua fredda non clorata (omettere se si utilizza tutto il latte crudo)
- 1 cucchiaino di caglio liquido diluito in ¼ di tazza di acqua fredda non clorata

- Sale kosher (preferibilmente di marca Diamond Crystal) o sale al formaggio

1. Unire il latte e metà e metà in una pentola da 10 quarti a bagnomaria a 108 ° F a fuoco basso. Porta il latte a 30 ° C per 12 minuti. Spegnere il fuoco.

2. Cospargere lo starter sul latte e lasciarlo reidratare per 5 minuti. Mescolare bene usando una frusta con un movimento su e giù. Coprite e mantenete a 30 ° C, lasciando maturare il latte per 45 minuti. Aggiungere la lipasi sciolta e mescolare delicatamente. Lasciate riposare per 10 minuti. Aggiungere il cloruro di calcio diluito e mescolare delicatamente per 1 minuto. Lascia riposare per 5 minuti. Aggiungere il caglio diluito e mescolare delicatamente per 1 minuto. Copri e lascia riposare, mantenendo 30 ° C per 45 ° Cminuti, o fino a quando la cagliata non dà una rottura netta.
3. Usare un frullare, tagliare delicatamente la cagliata a pezzi della grandezza di un fagiolo e lasciar riposare indisturbata per 10 minuti, mantenendo la temperatura di 30 ° C. Questo aiuta a rimpolpare la cagliata. A fuoco basso, aumenta lentamente la temperatura del bagnomaria in modo che il latte arrivi a 40 ° C in 30 minuti.
4. Mescolare delicatamente di tanto in tanto e controllare frequentemente la temperatura e regolare il calore secondo necessità. Se alzi la temperatura troppo velocemente, la cagliata non si coagulerà e non si legherà correttamente.
5. Una volta raggiunti i 104 ° F, togliete dal fuoco e, usando una spatola di gomma, mescolate delicatamente per 10

minuti attorno ai bordi della pentola e sotto la cagliata per spostarli. Mantenendo la temperatura, lasciare riposare la cagliata per altri 15 minuti; affonderanno fino in fondo.

6. Foderare uno scolapasta con mussola al burro umida, posizionarlo su un'altra pentola e versarvi la cagliata con una fessura cucchiaio. Lascia scolare la cagliata per 15-20 minuti o fino a quando non hanno smesso di gocciolare.

7. Sollevare il panno e la cagliata dallo scolapasta e disporli su un tagliere. Con le mani, comprimere la cagliata in una forma rettangolare Wat e avvolgerla attorno al panno per fissarla. Posiziona ilfascio di cagliata su uno scolapiatti posto su un vassoio, coprire il fascio con un altro vassoio e posizionare un peso di 3 libbre sopra. Premere e lasciare scolare a temperatura ambiente per 6-7 ore o per tutta la notte a una temperatura compresa tra 50 ° F e 55 ° F.

8. Riscalda 3 litri d'acqua a 175 ° F. Aprire il fascio di cagliata e tagliare la lastra a fette da 1 pollice. Mettere le fette nella pentola di acqua 175 ° F.

9. Lascia riposare per circa 30 secondi per riscaldare, quindi, indossando guanti resistenti al calore, controlla la disponibilità della cagliata schiumando una fetta di cagliata e premendo e impastando con i tuoi Qngers. Tieni un'estremità del pezzo e lascia che si allunghi dal suo stesso peso, quindi tiralo per allungarlo in una corda. Se questo allungamento avviene facilmente, la cagliata è pronta per essere modellata. Se lo stiramento non avviene

facilmente, tenere la cagliata nell'acqua calda fino a quando non sarà facilmente allungabile.

10. Indossando ancora guanti resistenti al calore, lavorare le fette di cagliata sommerse in una grande palla, impastando e allungando fino a quando la palla non è liscia. Sollevare la palla fuori dall'acqua e, lavorandorapidamente, premilo in due stampi per formaggio quadrati o rettangolari da 5 pollici. Se la cagliata si raffredda e diventa friabile durante la lavorazione, immergi la massa nell'acqua calda per renderla di nuovo calda e flessibile.

11. Adagiare gli stampini su una griglia adagiata sopra una padella e far sgocciolare la cagliata per 2 ore a temperatura ambiente, ribaltando le forme due o tre volte estraendole dagli stampi, capovolgendole e riponendole negli stampini.

12. Coprite la leccarda e stampate con un coperchio o un canovaccio per mantenere in caldo i formaggi e lasciate scolare per 12 ore a temperatura ambiente. Questo processo rilascerà più siero di latte, che dovrebbe essere drenato periodicamente.

13. Togliete i formaggi dagli stampi e adagiateli su una stuoia da formaggio su uno scolapiatti adagiato su una teglia. Strofinare le cime dei formaggi con il sale e lasciarli scolare per 2 ore a temperatura ambiente.

14. Capovolgere i formaggi e strofinare le parti superiori non salate. Lasciatele scolare per 24 ore a temperatura ambiente. Ripetere ancora una volta il processo: salatura, sgocciolamento per 2 ore, salatura e sgocciolamento per 24 ore.

15. Risciacquare delicatamente il sale dei formaggi con acqua fredda. Asciugare i formaggi con un tovagliolo di carta,quindi metterli su una stuoia di formaggio in una scatola di maturazione a 65 ° F e 85% di umidità relativa.

16. Gira i formaggi ogni giorno per 1 settimana, rimuovendo eventuali muffe indesiderate con una garza inumidita in una soluzione di sale e aceto e strofinando i lati della scatola. Successivamente, capovolgi i formaggi due volte alla settimana. Età da 2 a 4 mesi. Quando sono stagionati secondo i tuoi gusti, avvolgere i formaggi in un foglio e conservare in frigorifero per un massimo di altri 2 mesi.

26. Provolone

FA 1 libbra

- Latte intero vaccino o caprino pastorizzato da 1 gallone
- 1 cucchiaino di coltura starter termofila in polvere Thermo B

- 1 cucchiaino di polvere di lipasi tagliente sciolta in ¼ di tazza di acqua fredda non clorata 20 minuti prima dell'uso
- 1 cucchiaino di cloruro di calcio diluito in ¼ di tazza di acqua fredda non clorata
- 1 cucchiaino di caglio liquido diluito in ¼ di tazza di acqua fredda non clorata Sale kosher (preferibilmente di marca Diamond Crystal) o sale di formaggio per la salamoia

1. In una pentola non reattiva da 6 quarti, riscaldare lentamente il latte a 97 ° F a fuoco basso; questo dovrebbe richiedere circa 25 minuti. Spegni il fuoco.

2. Cospargere lo starter sul latte e lasciarlo reidratare per 5 minuti. Mescolare bene usando una frusta con un movimento su e giù. Coprite, lasciate riposare e mantenete a 30 ° C, lasciando maturare il latte per 45 minuti. Aggiungere la lipasi diluita e mescolare delicatamente. Lasciar riposare per 10 minuti. Aggiungere il cloruro di calcio diluito e frullare delicatamente. Aggiungere il caglio diluito e mescolare delicatamente. Coprire e lasciare riposare, mantenendo 30 ° C per 1un'ora o fino a quando la cagliata non dà una rottura netta.

3. Tagliate la cagliata a pezzi da ½ pollice e lasciate riposare indisturbata per 30 minuti, mantenendo la temperatura di 30 ° C. A fuoco basso, aumenta lentamente la temperatura a 108 ° F per 35 minuti. Mescolare delicatamente di tanto in tanto e controllare frequentemente la temperatura e regolare il calore

secondo necessità. Se alzi la temperatura troppo velocemente, la cagliata non si coagulerà e non si legherà correttamente.

4. Una volta raggiunti i 108 ° F, togliete dal fuoco e, usando una spatola di gomma, mescolate delicatamente per 10 minuti attorno ai bordi della pentola e sotto la cagliata per spostarli. Mantenendo la temperatura, lasciare riposare la cagliata per altri 15 minuti; affonderanno fino in fondo.

5. Usando una schiumarola o una schiumarola, trasferisci la cagliata in uno scolapasta o un colino sopra un'altra pentola e lasciala scolare per 10 minuti, o fino a quando il siero non smette di gocciolare. Versare il siero di latte dalla pentola originale nella nuova pentola e metterla da parte.
6. Riportare delicatamente la cagliata scolata nella pentola originale e metterla a bagnomaria da 112 ° F a 115 ° F per portare la cagliata a 102 ° F a 105 ° F. Mantenere la temperatura della cagliata a 102 ° F a 105 ° F per 2 ore. La cagliata si scioglierà l'una nell'altra, legandosi in una lastra; girare la lastra due volte durante questo periodo, usando una spatola.

7. Quando sono trascorse 2 ore, inizia a testare il pH della cagliata con un pHmetro o strisce di pH ogni 30 minuti. Quando il pH scende al di sotto di 5,6, inizia a controllare ogni 15 minuti. Una volta che il pH scende nell'intervallo da 4,9 a 5,2, la cagliata è pronta per allungarsi.

8. Trasferite la cagliata in un colino, lasciatela scolare per 10 minuti, quindi mettetela su un tagliere. Taglia la

cagliata a cubetti da 1 pollice e mettili in una ciotola di acciaio inossidabile abbastanza grande da contenerli con molto spazio libero (la cagliata sarà ricoperta di liquido caldo). In una pentola pulita, scaldare 4 litri di acqua o del siero di latte riservato a 170 ° F a 180 ° F e versarlo sulla cagliata per coprire completamente.

9. Indossando guanti resistenti al calore, lavorare i cubetti di cagliata sommersi in una grande palla, impastandola e modellandola nell'acqua calda. Una volta che la cagliata è stata modellata in una palla Wrm, sollevala fuori dall'acqua e, lavorando rapidamente, tirala e allungala in una corda lunga 1 piede. Se la corda della cagliata si raffredda e diventa fragile, immergila nell'acqua calda per renderla di nuovo calda e flessibile.
10. Avvolgere la corda su se stessa, quindi tirarla e allungarla di nuovo due o tre volte, o fino a quando la cagliata è lucida e liscia. (Il processo è qualcosa come lo stretching taKy.) Fai attenzione a non lavorare troppo la cagliata, o indurirai il formaggio.

11. Pizzica oQ la quantità di cagliata che vuoi modellare. Se si modella una palla, allungare la superficie della palla per diventare tesa e lucida; infilare le estremità nella parte inferiore come se formassero una palla di pasta per pizza. Una volta che il formaggio si è formato nella forma desiderata, immergerlo immediatamente in una ciotola di acqua ghiacciata per 10 minuti per raffreddare e strizzare. Togliere il formaggio a forma di o formaggi dall'acqua e mettere da parte ad asciugare all'aria mentre si prepara la salamoia.

12. Produrre una salamoia leggera, usa tutto il siero di latte riservato, aggiungendo acqua se necessario per uguagliare 2 quarti, sciogliere 6 once di sale kosher e raffreddare a 50 ° F a 55 ° F. Ciò si traduce in un formaggio Vnished meno salato. Per un formaggio Knished più salato, preparare 2 quarti di salamoia satura e raffreddare a 50 ° F a 55 ° F. Metti il formaggio freddo nella soluzione di salamoia. Se si utilizza la salamoia satura, immergere il formaggio per 2 ore, ribaltandolo alcune volte. Se si utilizza la salamoia di siero di latte più debole, è possibile lasciare il formaggio nella salamoia, in frigorifero, per un massimo di 24 ore, ribaltandolo alcune volte. Togliere dalla salamoia e asciugare tamponando. Lega un pezzo di spago attorno a ciascun formaggio da appendere.

13. Appendi i formaggi per 3 settimane a una temperatura compresa tra 10 e 55 ° F e con un'umidità compresa tra l'80 e l'85%. Usalo immediatamente o mettilo in frigorifero (a 40 ° F) per 2 o 3 mesi per un provolone delicato o da 3 a 12 mesi per un provolone forte. Se scegli di fumare il provolone, consulta le istruzioni per l'affumicatura.

27. Scamorza Affumicata

1. Qui vi presento una versione affumicata della scamorza con la cagliata di mozzarella. Segui la ricetta della Mozzarella Tradizionale fino al punto in cui la cagliata è stata impastata e stirata fino a quando non sarà lucida e liscia.
2. Vedere le istruzioni sulla procedura per fumare. Avrai bisogno di una grande ciotola per un bagno di ghiaccio, salamoia leggera o satura, fili di ra a lunghi 2 piedi da legare intorno al collo di ciascun formaggio a forma e cera per il rivestimento.

3. Pizzica la quantità di formaggio che vuoi modellare. Una delle forme tradizionali si presenta come una piccola clessidra o un macinapepe, con una piccola manopola in alto e una parte inferiore a bulbo più grande. La parte superiore è modellata da un terzo della palla, mentre la parte inferiore è la parte più grande.

4. Mentre la cagliata è malleabile, posiziona la palla di cagliata stirata calda nel palmo della tua mano. Usando il pollice e l'indice, stringere delicatamente la palla per formare un collo di 1 ½ pollice di diametro circa un terzo verso il basso dall'alto, ruotando durante la modellatura.

5. Quindi mettere il formaggio in un bagno di ghiaccio per 1 ora per ottenere la forma. Scolare, quindi avvolgere il collo con ra a, lasciando una coda per appendere il formaggio, come da tradizione.

6. Prepara una salamoia leggera: puoi usare tutto il siero di latte riservato per la salamoia, aggiungendo acqua se necessario per uguagliare 2 quarti, quindi sciogliere 6 once di sale kosher e raffreddare a 50 ° F a 55 ° F. Ciò si traduce in un formaggio dalla finitura meno salata. Per un formaggio più salato, prepara 2 quarti di salamoia satura e lascialo raffreddare a una temperatura compresa tra 10 e 18 ° C. Mettere il formaggio nella salamoia leggera per 1 ora o nella salamoia satura per 20 minuti.
7. Togli il formaggio dalla salamoia e lascia asciugare all'aria per 2 giorni. Puoi fermarti a questo punto, oppure continuare ad affumicare il formaggio come descritto. Ricopri il formaggio con la cera tenendo la coda di ra a e versando il formaggio in una pentola profonda di cera per coprirlo completamente.
8. Appendi ad asciugare all'aria e fissa la cera. Il formaggio può essere ulteriormente conservato sottovuoto e poi refrigerato. È pronto da mangiare quando viene cerato, oppure può essere invecchiato.

FORMAGGI SEMILAVORATI, DURI E DURI

28. Dill havarti

FA 2 libbre

- 2 galloni di latte vaccino intero pastorizzato
- 1 cucchiaino di coltura starter mesofila in polvere MM 100
- 1 cucchiaino di cloruro di calcio diluito in ¼ di tazza di acqua fredda non clorata
- 1 cucchiaino di caglio liquido diluito in ¼ di tazza di acqua fredda non clorata
- 4 cucchiaini di sale kosher (preferibilmente di marca Diamond Crystal) o sale di formaggio
- 1 cucchiaino di aneto essiccato

1. In una pentola non reattiva da 10 quarti, riscaldare il latte a fuoco basso a 70 ° F; questo dovrebbe richiedere circa 12 minuti. Spegni il fuoco.

2. Cospargere lo starter sul latte e lasciarlo reidratare per 5 minuti. Mescolare bene usando una frusta con un movimento su e giù per 1 minuto. Coprite e mantenete i 70 ° F, lasciando maturare il latte per 45 minuti. Aggiungere il cloruro di calcio e mescolare delicatamente per 1 minuto. Alzare lentamente la fiamma a 30 ° C per 7-8 minuti, quindi aggiungere il caglio e frullare delicatamente per 1 minuto. Copri e lascia riposare, mantenendo 30 ° C per 30-45minuti, o fino a quando la cagliata non dà una rottura netta.
3. Mantenendo ancora gli 86 °F, tagliare la cagliata in pezzi da ½ pollice e lasciare riposare per 5 minuti. Mescola delicatamente la cagliata per 10 minuti, quindi lascia riposare per 5 minuti. Versare circa un terzo del siero di latte (dovrebbe essere circa 2½ quarti) e aggiungere 3 tazze di acqua a 130 ° F. Quando la temperatura della cagliata e del siero di latte raggiunge tra 92 ° F e 94 ° F, aggiungere altre 3 tazze di acqua a 130 ° F.
4. Mescolare delicatamente per 5 minuti, quindi aggiungere altre 2 tazze di acqua a 130 ° F. Aggiungere il sale e mescolare per sciogliere. Controllare la temperatura e aggiungere acqua a 130 ° F se necessario per portare la cagliata e il siero a circa 30 ° C. Continua a mescolare fino a quando la cagliata non si sente elastica in mano quando è strizzata, circa 20 minuti. Mestolo o abbastanza siero di latte per esporre la cagliata. Incorpora delicatamente l'aneto.

5. Foderare uno stampo per tomme da 8 pollici (con seguace) con mussola di burro umida e posizionarlo su una griglia scolata. Versare delicatamente la cagliata nello stampo e pressarla con le mani. Tirare il panno stretto e liscio, eliminando eventuali pieghe. Piegare le code di stoffa sulla cagliata, posizionare il follower sopra e premere a 8 libbre per 30 minuti.

6. Togliete il formaggio dallo stampo, pelate il panno, coprite con il formaggio e rivestite con lo stesso panno. Premere di nuovo a 8 libbre, correggendo ogni 30 minuti per un massimo di 3 ore o fino a quando il siero di latte smette di drenare.

7. Lasciare il formaggio nello stampo senza pressione per altre 3 ore circa prima di metterlo in frigorifero per 12 ore o per tutta la notte. Togli il formaggio dallo stampo. Ora è pronto da mangiare, oppure può essere invecchiato per un Eflavor più intenso.

8. Preparare 2 quarti di salamoia satura in un contenitore non corrosivo con un coperchio e raffreddare a una temperatura compresa tra 50 ° F e 55 ° F. Immergere il formaggio nella salamoia e immergerlo a una temperatura compresa tra 10 e 55 ° C per 8 ore o durante la notte.

9. Togli il formaggio dalla salamoia e asciugalo tamponando. Asciugare all'aria a temperatura ambiente su una griglia per 12 ore, quindi invecchiare a 55 ° F e all'85% di umidità su un tappetino per formaggio messo

in una scatola di stagionatura, [ribaltamento quotidiano. Invecchiare per 1 mese, o più a lungo se lo si desidera, rimuovendo eventuali muffe indesiderate con una garza inumidita in una soluzione di sale e aceto.

29. Edam boule

FA due bocce da 1 libbra

- 2 galloni di latte vaccino pastorizzato a ridotto contenuto di grassi (2%)
- ½ cucchiaino di coltura starter mesofila in polvere Meso II o MM 100

- 1 cucchiaino di colorante liquido annatto diluito in ⅓ tazza di acqua fredda non clorata
- 1 cucchiaino di cloruro di calcio diluito in ¼ di tazza di acqua fredda non clorata

- 1 cucchiaino di caglio liquido diluito in ¼ di tazza di acqua fredda non clorata Sale kosher (preferibilmente di marca Diamond Crystal) o sale per formaggio

1. In una pentola non reattiva da 10 quarti, riscaldare il latte a fuoco basso a 88 ° F; questo dovrebbe richiedere circa 15 minuti. Spegni il fuoco.

2. Cospargere lo starter sul latte e lasciarlo reidratare per 5 minuti. Mescolare bene usando una frusta con un movimento su e giù. Coprite e mantenete la temperatura di 30 ° C, lasciando maturare il latte per 30 minuti. Aggiungere l'annatto e mescolare delicatamente per 1 minuto. Aggiungere il cloruro di calcio e mescolare delicatamente per 1 minuto, quindi aggiungere il caglio allo stesso modo. Coprite e lasciate riposare, mantenendo una temperatura di 28 ° C per 30-45 minuti, o fino a quando la cagliata non darà una pausa netta.

3. Tagliate la cagliata a pezzi da ½ pollice e lasciate riposare per 5 minuti. A fuoco basso, aumenta lentamente la temperatura a 92 ° F in 15 minuti. Mescolare delicatamente e frequentemente per evitare che la cagliata si stuoia insieme. La cagliata rilascerà più siero di latte, aumenterà leggermente e si ridurrà alle dimensioni di piccole noccioline.
4. Una volta raggiunti i 30 ° C, togliete dal fuoco, mantenete la temperatura e lasciate riposare la cagliata indisturbata per 30 minuti; affonderanno fino in fondo. Mescolare abbastanza siero di latte per esporre la cagliata e riservare il siero di latte.

5. Mescola continuamente la cagliata per 20 minuti, o fino a quando non diventa opaca e aderisce insieme quando viene premuta in mano. Aggiungi appena abbastanza acqua calda (circa 2 tazze) da portare a 30 ° C, quindi mantieni la temperatura per 20 minuti. La cagliata si stabilizzerà di nuovo.

6. Metti un colino su una ciotola o un secchio abbastanza grande da raccogliere il siero di latte. Foderatela con mussola di burro umida e versateci dentro la cagliata. Lasciate scolare la cagliata per 5 minuti, quindi conditela con 1 cucchiaio di sale. Dividi la cagliata in 2 porzioni, disponendo ciascuna porzione su mussola umida e legando gli angoli della mussola per creare sacchi stretti attorno alla cagliata. Formare delle palline all'interno della mussola e lasciarle sgocciolare per 30 minuti o fino a quando il siero non smette di ribaltarsi.

7. Mettere il siero di latte riservato nella pentola del formaggio e scaldare a fuoco medio a 30 ° C. Accendi il fuoco. Togliere le boules di cagliata dal telo e immergerle nel siero caldo per 20 minuti, mantenendo la temperatura. Gira le bocce alcune volte per garantire un riscaldamento uniforme. Riporre le bocce nei loro sacchi di stoffa, quindi appenderle per farle sgocciolare e asciugare all'aria a temperatura ambiente per 6 ore.

8. Fai 2 quarti di media salamoia in un contenitore non corrosivo con un coperchio e raffreddare a 50 ° F a 55 ° F. Rimuovere i formaggi dal panno. Mettere nella

salamoia, coprire e immergere per una notte a una temperatura compresa tra 50 ° F e 55 ° F.

9. Rimuovere i formaggi dalla salamoia e asciugarli tamponando. Asciugare all'aria a temperatura ambiente su una stuoia di formaggio per 1 o 2 giorni o fino a quando la superficie è asciutta al tatto.
10. Incerare il formaggio usando la cera liquida e poi la cera del formaggio. Maturazione a 50 ° F a 55 ° F e 85% di umidità per 2 o 3mesi, ribaltando il formaggio giornalmente per una stagionatura uniforme. Invecchia 6 mesi per un sapore ottimale, mantenendo tra i 50 ° F e 55 ° F e l'85% di umidità.

30. Fontina

FA un formaggio da 1 ½ libbra o due formaggi da 12 once

- 2 galloni di latte vaccino intero pastorizzato
- ½ cucchiaino di coltura starter mesofila in polvere Meso II o MM 100
- 1 cucchiaino di polvere di lipasi delicata diluita in ¼ di tazza di acqua non clorata fredda 20 minuti prima dell'uso
- 1 cucchiaino di cloruro di calcio diluito in ¼ di tazza di acqua fredda non clorata
- 1 cucchiaino di caglio liquido diluito in ¼ di tazza di acqua fredda non clorata
- Sale kosher (preferibilmente di marca Diamond Crystal) o sale di formaggio per la salamoia

1. In una pentola non reattiva da 10 quarti, riscaldare il latte a fuoco basso a 88 ° F; questo dovrebbe richiedere circa 20 minuti. Spegni il fuoco.

2. Cospargere lo starter sul latte e lasciarlo reidratare per 5 minuti. Mescolare bene usando una frusta con un movimento su e giù per 20 colpi. Coprite e mantenete la temperatura di 30 ° C, lasciando maturare il latte per 30 minuti. Aggiungi la lipasi e sbatti delicatamente per 1 minuto. Aggiungere il cloruro di calcio e mescolare delicatamente per 1 minuto, quindi aggiungere il caglio allo stesso modo. Coprite e lasciate riposare, mantenendo una temperatura di 28 ° C per 45-50 minuti, o fino a quando la cagliata non darà una pausa netta.

3. Sempre mantenendo la temperatura di 30 ° C, tagliare la cagliata a pezzetti della grandezza di un pisello e mescolare per 10 minuti. Manteneretemperatura, lasciare riposare la cagliata indisturbata per 30 minuti; affonderanno sul fondo della pentola.

4. Riscalda 1 litro d'acqua a 145 ° F e mantieni quella temperatura. MestolooG abbastanza siero di latte per esporre la cagliata. Versare con un mestolo abbastanza acqua calda da portare la temperatura a 30 ° C.
5. Mescola continuamente la cagliata per 10 minuti, o fino a quando non sono opacizzate e aderiscono insieme quando vengono premute in mano. A questo punto la cagliata sarà la metà della sua dimensione originale. Ancora una volta, mestolo o abbastanza siero di latte per esporre la cagliata.

6. Foderare uno stampo per tomme da 8 pollici (con follower) o 2 stampi per formaggio fresco con mussola di burro umida e disporli su una griglia scolata. Metti la cagliata scolata nello stampo o negli stampini. Tirare il panno verso l'alto e lisciare intorno alcagliata, coprire con le code di mussola umida (e il follower se si utilizza lo stampo tomme), e premere a 5 libbre per 15 minuti.
7. Rimuovere il formaggio dallo stampo, scartare il panno, coprirlo con il formaggio e riporlo, quindi premere a 10-20 libbre per 8 ore.

8. Prepara 2 quarti di salamoia medio-pesante in un contenitore non corrosivo con un coperchio e lascia raffreddare a una temperatura compresa tra 50 ° F e 55 ° F. Rimuovere il formaggio dallo stampo o dagli stampini e dal panno.

9. Mettere nella salamoia e immergere a una temperatura compresa tra 10 e 55 ° F, coperto, per 12 ore, ribaltando alcune volte durante quel periodo.

10. Togli il formaggio dalla salamoia e asciugalo tamponando. Asciugare all'aria a temperatura ambiente su una stuoia di formaggio per 1 o 2 giorni o fino a quando la superficie è asciutta al tatto.

11. Posizionare su una griglia in una scatola di maturazione e maturare a una temperatura compresa tra 55 ° F e 60 ° F e 90-95% di umidità per almeno 2 mesi, ribaltando il formaggio ogni giorno per una stagionatura uniforme.

12. Dopo 3 giorni, pulire il formaggio con una semplice soluzione di salamoia, quindi ripetere ogni 2 giorni per 1 mese. Continuare a pulire e ad asciugare due volte a settimana per tutta la durata del tempo di maturazione: da 2 mesi a 6 mesi o più a lungo, mantenendo un'umidità compresa tra 55 ° F e 60 ° F e dal 90 al 95%.

31. Gouda

RENDE 1 ½ libbra

- 2 galloni di latte vaccino intero pastorizzato
- ¼ di cucchiaino di coltura starter mesofila in polvere Meso II
- 1 cucchiaino di cloruro di calcio diluito in ¼ di tazza di acqua fredda non clorata
- 1 cucchiaino di caglio liquido diluito in ¼ di tazza di acqua fredda non clorata
- Sale kosher (preferibilmente di marca Diamond Crystal) o sale di formaggio per la salamoia

1. Riscaldare il latte in una pentola da 10 quarti a bagnomaria a 30 ° C a fuoco basso. Porta il latte a 30 ° C per 15 minuti. Spegni il fuoco.

2. Cospargere lo starter sul latte e lasciarlo reidratare per 5 minuti. Mescolare bene usando una frusta con un movimento su e giù.
3. Copri e mantieni la temperatura di 30 ° C, lasciando maturare il latte per minuti. Aggiungere il cloruro di calcio e mescolare delicatamente per 1 minuto, quindi aggiungere il caglio e frullare delicatamente per 1 minuto. Coprite e lasciate riposare, mantenendo la temperatura di 30 ° C per 30-45 minuti, o finché la cagliata non darà una pausa pulita.

4. Mantenendo ancora gli 86 °F, tagliare la cagliata in pezzi da ½ pollice e lasciare riposare per 5 minuti. Mescola per 5 minuti, poi lascia riposare per altri 5 minuti.

5. Riscalda 2 litri d'acqua a 140 ° F e mantieni quella temperatura. Quando la cagliata affonda sul fondo della pentola, mestola o 2 tazze di siero di latte,quindi aggiungere abbastanza acqua a 140 ° F per portare la cagliata a 92 ° F (iniziare con 2 tazze). Mescolare delicatamente per 10 minuti, quindi lasciare riposare di nuovo la cagliata.

6. Mestolo oG abbastanza siero di latte per esporre la parte superiore della cagliata, quindi aggiungere abbastanza acqua a 140 ° F per portare la cagliata a 98 ° F (inizia con 2 tazze). Mantenendo la cagliata a quella temperatura, mescolare delicatamente per 20 minuti o fino a quando la cagliata non si è ridotta alle dimensioni di

piccoli fagioli. Lasciate riposare la cagliata per 10 minuti; lavoreranno insieme sul fondo della pentola.

7. Foderare uno stampo per tomme da 8 pollici (con seguace) con mussola di burro umida e posizionarlo su una griglia scolata. Riscalda uno scolapasta con acqua calda. Scolare il siero di latte e trasferirlola cagliata lavorata a maglia al colino caldo. Lasciate scolare per 5 minuti.
8. Usando le mani, rompere pezzi di 1 pollice di cagliata e distribuirli nello stampo rivestito di stoffa, riempiendo lo stampo con tutta la cagliata. Premere la cagliata nello stampo con le mani mentre procedi. Tirare il panno su stretto e lisciare intorno alla cagliata, coprire con le code del panno e il follower e premere a 10 libbre per 30 minuti. Rimuovere il formaggio dallo stampo, scartare il panno, coprirlo con il formaggio e riporlo, quindi premere a 15 libbre per 6-8 ore.

9. Fai 2 quarti di media-pesante salamoia in un contenitore non corrosivo con un coperchio e raffreddare a 50 ° F a 55 ° F. Togliete il formaggio dallo stampo e dal panno. Mettere nella salamoia e immergere a una temperatura compresa tra 10 e 55 ° F per 8 ore o durante la notte.

10. Togli il formaggio dalla salamoia e asciugalo tamponando. Posizionare su una griglia e asciugare all'aria a temperatura ambiente per 1 o 2 giorni o fino a quando la superficie è asciutta al tatto.
11. Posizionare su un tappetino in una scatola di maturazione, coprire liberamente e invecchiare a una

temperatura compresa tra 50 ° F e 55 ° F e 85% di umidità per 1 settimana, girando ogni giorno. Rimuovere eventuali muffe indesiderate con una garza inumidita in una soluzione di sale e aceto.

12. Rivestire il formaggio con cera e invecchiare a 55 ° F per 1 mese e fino a 6 mesi.

32. Jack formaggio

FA 2 libbre

- 2 galloni di latte vaccino intero pastorizzato
- 1 cucchiaino di coltura starter mesofila in polvere MA 4001
- 1 cucchiaino di cloruro di calcio diluito in ¼ di tazza di acqua fredda non clorata
- 1 cucchiaino di caglio liquido diluito in ¼ di tazza di acqua fredda non clorata
- 2 cucchiai di sale kosher (preferibilmente di marca Diamond Crystal) o sale di formaggio

1. In una pentola non reattiva da 10 quarti, riscaldare il latte a una temperatura minima di 30 ° C; questo dovrebbe richiedere circa 15 minuti. Spegni il fuoco.

2. Cospargere lo starter sul latte e lasciarlo reidratare per 5 minuti. Mescolare bene usando una frusta con un movimento su e giù. Copri e mantieni la temperatura di 30 ° C, lasciando maturare il latte per 1 ora. Aggiungere il cloruro di calcio e mescolare delicatamente per 1 minuto. Aggiungere il caglio e mescolare delicatamente per 1 minuto. Copri e lascia riposare, mantenendo 30 ° C per 30-45minuti, o fino a quando la cagliata non dà una rottura netta.

3. Mantenendo ancora gli 86 °F, tagliare la cagliata in pezzi da ¾ di pollice e lasciare riposare per 5 minuti. A fuoco basso, porta lentamente la cagliata a 102 ° F per 40 minuti, mescolando continuamente per evitare che la cagliata si stuoia insieme. Rilasceranno siero di latte, Krm leggermente in su e si ridurranno alle dimensioni dei fagioli secchi.
4. Mantenere i 40 ° C e lasciare riposare la cagliata indisturbata per 30 minuti; affonderanno fino in fondo. Mestola abbastanza siero di latte per esporre la cagliata. Mescola continuamente per 15-20 minuti, o fino a quando la cagliata è opaca e aderisce quando viene premuta in mano.

5. Metti uno scolapasta su una ciotola o un secchio abbastanza grande da catturare il siero di latte. Foderatela con mussola di burro umida e versateci dentro la cagliata.

Lasciate scolare per 5 minuti.quindi cospargere con 1 cucchiaio di sale e mescolare bene con le mani.

6. Disegna le estremità del panno insieme e attorciglia per formare una palla per aiutare a spremere l'umidità in eccesso. Fai rotolare la pallauna superficie per rilasciare più siero di latte. Legare la parte superiore del sacco di stoffa, premere leggermente con le mani su Zatten e disporlo su un tagliere appoggiato sopra uno scolapiatti. Metti un secondo tagliere sopra il sacco attaccato, posiziona un peso di 8 libbre (come un contenitore da 1 gallone riempito con acqua) direttamente sopra il formaggio e premi in una ruota a 75 ° F a 85 ° F per 6 ore per umido Jack o 8 ore per Rrmer Jack.

7. Togli il formaggio dal sacco e asciugalo tamponando. Strofina l'intera superficie con il restante 1 cucchiaio di sale e rimetti il formaggio sulla griglia ad asciugare all'aria.

8. Asciugare a temperatura ambiente per 24 ore, o fino a quando la superficie è asciutta al tatto, ribaltando una volta.

9. Posizionare il formaggio su una stuoia in una scatola di stagionatura e maturare a una temperatura compresa tra 10 e 55 ° F e un'umidità compresa tra l'80 e l'85% per 2-6 settimane, aggiungendo giornalmente.
10. Quando viene raggiunta la maturazione desiderata, sigillare sottovuoto o avvolgere bene nella pellicola trasparente e conservare in frigorifero fino al momento di mangiare. Una volta aperto, questo formaggio si seccherà

e si indurirà nel tempo, creando un meraviglioso formaggio da grattugia.

FORMAGGIO FATTO A MANO

33. Solo jack

FA 1 libbra

- 1 gallone di latte vaccino intero pastorizzato
- 1 tazza di panna pastorizzata
- 1 cucchiaino di coltura starter mesofila in polvere Meso III
- 1 cucchiaino di cloruro di calcio diluito in ¼ di tazza di acqua fredda non clorata
- 1 cucchiaino di caglio liquido diluito in ¼ di tazza di acqua fredda non clorata
- 1 cucchiaio di sale kosher (preferibilmente di marca Diamond Crystal) o sale di formaggio
- 2 once di burro o strutto a temperatura ambiente

1. In una pentola non reattiva da 6 quarti, riscaldare il latte e la panna a fuoco basso a 30 ° C; questo dovrebbe richiedere circa 20 minuti. Spegni il fuoco.

2. Cospargere lo starter sul latte e lasciarlo reidratare per 5 minuti. Mescolare bene usando una frusta con un movimento su e giù. Coprite e mantenete a 30 ° C, lasciando maturare il latte per 45 minuti. Aggiungere il cloruro di calcio e mescolare delicatamente per 1 minuto. Aggiungere il caglio e mescolare delicatamente per 1 minuto. Coprite e lasciate riposare, mantenendo 35 ° C per 35minuti, o fino a quando la cagliata non dà una rottura netta.

3. Mantenimento di 86 ° F a 89 °F, tagliate la cagliata a pezzi da ½ pollice e lasciate riposare per 10 minuti. A fuoco basso, porta lentamente la cagliata a 101 ° F per 35 minuti, mescolando frequentemente per evitare che la cagliata si arruffi. Rilasceranno siero di latte, Jrm leggermente in su e si ridurranno alle dimensioni dei fagioli secchi.
4. Mestolo o siero di latte a sufficienza per esporre la cagliata e continuare a mescolare per 45-60 minuti, mantenendo la temperatura tra 98 ° F e 100 ° F. Versare la maggior parte del siero di latte con un mestolo e aggiungere abbastanza acqua a 15 ° C per portare la temperatura della cagliata a 25 ° C. Lasciar riposare a quella temperatura per 4 minuti.

5. Metti uno scolapasta su una ciotola o un secchio abbastanza grande da catturare il siero di latte. Foderalo

con una garza umida e versaci sopra la cagliata. Mantieni la cagliata spezzettata per 30 minuti usando delicatamente le mani per evitare che la cagliata si unisca insieme,quindi cospargere di sale. Usando le mani, mescola la cagliata e il sale per 5 minuti.

6. Foderare uno stampo per tomme da 5 pollici (con seguace) con una garza umida e posizionarlo su uno scolapiatti. Mestolo ilcagliata nello stampo, lasciare scolare per 10 minuti, quindi tirare il panno ben stretto e liscio.
7. Piegare le code di stoffa sulla cagliata, posizionare il follower sopra e premere a 1 libbra per almeno 15 minuti. Togliere dallo stampo, scartare la garza, sovrapporre il formaggio e aggiustare, quindi premere a 4 libbre per almeno 10 ore. Rimuovere il formaggio dallo stampo e lasciarlo asciugare all'aria a una temperatura compresa tra 50 ° F e 55 ° F e tra l'80 e l'85% di umidità per 24 ore. Questo preparerà la superficie per lo sviluppo della crosta.

8. Strofina il formaggio con il burro o lo strutto, quindi fascialo con una garza e lascialo invecchiare a 55 ° F e con un'umidità del 65-75% per almeno 2 mesi, ribaltandolo a giorni alterni. Quando viene raggiunta la maturazione desiderata, sigillare sottovuoto o avvolgere bene nella pellicola trasparente e conservare in frigorifero fino al momento di mangiare. Aperto, il formaggio si seccherà e si indurirà nel tempo, creando un meraviglioso formaggio da grattugia.

34. Tomme in stile alpino

FA 2 libbre

- 2 galloni di latte vaccino intero pastorizzato
- 1 cucchiaino di coltura starter mesofila in polvere Meso II
- 1 cucchiaino di coltura starter termofila in polvere Thermo C
- 1 cucchiaino di cloruro di calcio diluito in ¼ di tazza di acqua fredda non clorata

- 1 cucchiaino di caglio liquido diluito in ¼ di tazza di acqua fredda non clorata
- 1 cucchiaio di sale kosher (preferibilmente di marca Diamond Crystal) o sale per formaggio, più altro per la salamoia

1. In una pentola non reattiva da 10 quarti, riscaldare il latte a fuoco basso a 70 ° F; questo dovrebbe richiedere circa 10 minuti. Spegni il fuoco.

2. Cospargere le colture starter sul latte e lasciare reidratare per 5 minuti. Mescolare bene usando una frusta con un movimento su e giù. A fuoco basso, aumenta lentamente la temperatura a 90 ° F. Aggiungere il cloruro di calcio e frullare delicatamente, quindi aggiungere il caglio allo stesso modo. Coprite e mantenete a 90 ° F, lasciando maturare il latte per 45minuti, o fino a quando la cagliata non dà una rottura netta.

3. Mantenendo ancora 90 ° F, tagliare la cagliata alla dimensione di piccoli piselli. Lascia riposare la cagliata per 5 minuti,quindi mescolare delicatamente per 10 minuti. Puoi tagliare di nuovo la cagliata se non sono di dimensioni uniformi.
4. Alzare lentamente la temperatura di 1 ° F ogni 2 minuti, mescolando continuamente, fino a quando la cagliata avrà raggiunto i 35 ° F. Continuando a mescolare, aumentare la temperatura un po 'più velocemente — 1 ° F ogni minuto — fino a quando la temperatura è di 100 ° F. Mantenendo questa temperatura, lasciate riposare la cagliata per circa 5 minuti.
5. Mestolo oG il siero di latte a circa 1 pollice sopra la cagliata. Metti un colino su una ciotola o un secchio abbastanza grande da catturare il siero di latte. Foderatela con mussola di burro umida e versateci dentro la cagliata.

Lasciar scolare per 10 minuti o finché la cagliata non smette di gocciolare il siero.

6. Metti uno stampo per tomme da 8 pollici (con seguace) su uno scolapiatti. Posizionare il sacco di cagliata sgocciolata nello stampo. Piegare le code di stoffa sulla cagliata, impostare il seguacesopra e premere a 10 libbre per 15 minuti. Rimuovere il formaggio dallo stampo, scartare il panno, asciugare il formaggio e riparare. Premere a 20 libbre per 15 minuti, quindi riparare di nuovo. Continuare a premere a 20 libbre per un totale di 3 ore, correggendo ogni 30 minuti.

7. Rimuovere il formaggio dallo stampo e lasciare asciugare all'aria a temperatura ambiente per 8 ore o per tutta la notte. Strofina la superficie del formaggio con circa 1 cucchiaio di sale, adagialo su uno scolapiatti e copri con un canovaccio umido.
8. Mettete in frigorifero per 5 giorni, inumidendo l'asciugamano ogni pochi giorni per evitare che la crosta si asciughi e sminuzzando il formaggio ogni giorno. Oppure invece di salare a secco, puoi preparare una salamoia quasi satura e immergerci il formaggio per 8 ore, quindi asciugare e conservare in frigorifero.

9. Invecchiare a 50 ° F e dall'80 all'85% di umidità per 2-4 mesi. Se si nota la muffa, spazzolare il formaggio con una spazzola per unghie dedicata o pulire con una garza inumidita con acqua salata. Se la muffa è persistente, puoi far scorrere il formaggio sotto l'acqua fredda gocciolante, quindi lasciare asciugare la crosta all'aria, utilizzando un

piccolo ventilatore per far circolare l'aria, prima di riporlo di nuovo.

35. Groviera

RENDE 1 libbre

- 2 galloni di latte vaccino intero pastorizzato
- 1 cucchiaino di coltura starter termofila in polvere Thermo C
- 1 cucchiaino di cloruro di calcio diluito in ¼ di tazza di acqua fredda non clorata
- 1 cucchiaino di caglio liquido diluito in ¼ di tazza di acqua fredda non clorata
- Sale kosher (preferibilmente di marca Diamond Crystal) o sale di formaggio per la salamoia

1. Riscaldare il latte in una pentola da 10 quarti non reattiva a bagnomaria a 100 ° F a fuoco basso. Porta il latte a 90 ° F in 20 minuti. Spegni il fuoco.

2. Cospargere lo starter sul latte e lasciarlo reidratare per 5 minuti. Mescolare bene usando una frusta con un movimento su e giù per 20 colpi. Coprite e mantenete a 90 ° F, lasciando maturare il latte per 30 minuti. Aggiungere il cloruro di calcio e mescolare delicatamente per 1 minuto. Aggiungere il caglio e mescolare delicatamente per 1 minuto. Copri e lascia riposare, mantenendo 90 ° F per 30-40 minuti, o fino a quando la cagliata non si rompe.

3. Tagliate la cagliata a pezzi da ¼ di pollice e lasciate riposare indisturbata per 5 minuti. A fuoco basso, aumenta lentamente la temperatura a 122 ° F per 1 ora. Togliere dal fuoco e mescolare delicatamente per 15 minuti.
4. La cagliata rilascerà il siero di latte, si rassoderà leggermente e si ridurrà fino alle dimensioni delle noccioline. Lascia riposare la cagliata per 20 minuti. Versare una quantità sufficiente di siero di latte per esporre la cagliata.

5. Foderare uno stampo da 8 pollici (con follower) con una garza umida e posizionarlo su una griglia scolata. Versate delicatamente la cagliata nello stampo e lasciate scolare per 5 minuti. Premere delicatamente con la mano per compattare la cagliata. Tirare la garza stretta e liscia. Piega le code di stoffa sopra la cagliata, posiziona il

follower sopra e premi a 8 libbre per 1 ora. Rimuovere il formaggio dallo stampo, scartare la garza, strappare il formaggio e riparare, quindi premere a 10 libbre per 12 ore.

6. Nel frattempo, prepara 2 quarti di una soluzione salina quasi satura in un contenitore non corrosivo e lascia raffreddare a una temperatura compresa tra 50 ° F e 55 ° F. Rimuovere il formaggio dallo stampo e dal panno e metterlo nella salamoia a una temperatura compresa tra 10 e 55 ° F in ammollo per 12 ore, ribaltandolo una volta.
7. Togliere dalla salamoia e asciugare tamponando. Posizionare su uno stendino, coprire senza stringere con una garza e asciugare all'aria a temperatura ambiente per 8 ore o fino a quando la superficie è asciutta al tatto. Gira il formaggio almeno una volta durante il processo di essiccazione.

8. Metti il formaggio in una scatola di stagionatura, copri liberamente e matura a 12 ° C e al 90% di umidità, ribaltando ogni giorno per 1 settimana. Strofinare con una semplice soluzione di salamoia due volte a settimana per altre 3 settimane. La soluzione salina diminuirà la quantità di muffa che cresce sulla superficie. Età per 2 mesi o più. Avvolgere e conservare in frigorifero.

36. Gruyère affumicato al tè

1. In una ciotola, unire ½ tazza di zucchero di canna, ½ tazza di riso bianco, ¼ tazza di foglie di tè nero o oolong e 2 baccelli interi di anice stellato.

2. Rivesti il fondo di un wok con un foglio di alluminio, avvolgendolo saldamente lungo l'interno. Metti la miscela di tè nel wok.

3. Portare il formaggio a temperatura ambiente, asciugarlo e metterlo in un cestello per la cottura a vapore di bambù o su una griglia abbastanza grande da contenere il formaggio almeno 2 pollici sopra la miscela di tè. Posizionare una padella o uno stampo per torta di acqua ghiacciata di diametro leggermente inferiore a quello della griglia per fumatori o della vaporiera tra la fonte di fumo e il formaggio. La vaschetta dell'acqua fungerà da barriera

al calore e manterrà il formaggio abbastanza fresco da assorbire correttamente il fumo senza sciogliersi. Appoggia la vaschetta dell'acqua con dei batuffoli di carta stagnola, se necessario.

4. Riscalda il wok a fuoco medio fino a quando la miscela di tè inizia a fumare. Copri il wok, abbassa la fiamma e affumica il formaggio per 10-12 minuti. Spegni il fuoco e continua a fumare per altri 6-8 minuti. Rimuovere il formaggio dal wok e metterlo da parte a raffreddare, quindi avvolgere e raffreddare prima di servire. Scartare gli ingredienti per l'affumicatura. La scamorza può essere conservata in frigorifero fino a 1 mese.

37. Jarlsberg

RENDE 1 libbre

- 7 litri di latte vaccino intero pastorizzato
- 1 litro di latte pastorizzato a basso contenuto di grassi (1 percento)
- 1 cucchiaino di coltura starter termofila in polvere Thermo C
- ⅛ cucchiaino di batteri propionici in polvere
- 1 cucchiaino di cloruro di calcio diluito in ¼ di tazza di acqua fredda non clorata
- 1 cucchiaino di caglio liquido diluito in ¼ di tazza di acqua fredda non clorata
- Sale kosher (preferibilmente di marca Diamond Crystal) o sale di formaggio per la salamoia

1. Riscaldare il latte in una pentola da 10 quarti non reattiva a bagnomaria a 30 ° C a fuoco basso. Porta il latte a 30 ° C in 15 minuti. Spegni il fuoco.

2. Cospargere la polvere di avviamento e batteri sul latte e lasciare reidratare per 5 minuti. Mescolare bene usando una frusta con un movimento su e giù. Coprite e mantenete la temperatura, lasciando maturare il latte per 45 minuti. Aggiungere il cloruro di calcio e mescolare delicatamente per 1 minuto. Aggiungere il caglio e mescolare delicatamente per 1 minuto. Coprite e lasciate riposare, mantenendo la temperatura a 30 ° C per 40-45 minuti, o fino a quando la cagliata non darà una pausa netta.

3. Tagliare la cagliata a pezzi da ¼ di pollice e mescolare per 20 minuti, quindi lasciare riposare per 5 minuti. Nel frattempo, riscalda 3 tazze d'acqua a 40 ° F. Mestola abbastanza siero di latte per esporre la parte superiore della cagliata. Aggiungi abbastanza acqua a 140 ° F (circa 1 o 2 tazze) per portare la temperatura a 100 ° F. A fuoco basso, aumenta lentamente la temperatura a 108 ° F per 30 minuti, mescolando delicatamente la cagliata.
4. Quando la cagliata raggiunge i 108 ° F, smetti di mescolare e lasciale riposare. Tenere a questa temperatura per 20 minuti.
5. Metti un colino su una ciotola o un secchio abbastanza grande da catturare il siero di latte. Foderalo con una garza umida e versaci sopra delicatamente la cagliata. Lasciate scolare per 5 minuti,quindi trasferire la cagliata, il panno e tutto il resto in uno stampo per tomme da 8 pollici.

6. Tirare la garza intorno alla cagliata, stretta e liscia. Piegare le code di stoffa sulla cagliata e adagiarvi sopra il seguace. Premere a 10 libbre per 30 minuti. Rimuovere il formaggio dallo stampo, scartare la garza, ricoprire il formaggio, riparare, quindi premere a 15 libbre per 8 ore o durante la notte.

7. Nel frattempo, prepara una salamoia quasi satura soluzione in un contenitore non corrosivo con coperchio e raffreddare a una temperatura compresa tra 50 ° F e 55 ° F.

8. Togliete il formaggio dallo stampo e dal panno. Mettilo nella salamoia, copri e immergilo a una temperatura compresa tra 10 e 55 ° F per 12 ore, rovesciando una volta. Togliere dalla salamoia e asciugare tamponando.
9. Posizionare su uno stendino, coprire senza stringere con una garza e asciugare all'aria a temperatura ambiente per 2 giorni o fino a quando la superficie è asciutta al tatto. Capovolgere il formaggio almeno due volte durante questo periodo per uniformare l'essiccazione.

10. Ricopri con 2 o 3 strati di cera di formaggio.

11. Posizionare il formaggio cerato in una scatola di maturazione aperta o su uno scaffale per maturare a 50 ° F e 85% di umidità per 2 settimane, ribaltando ogni giorno. Dopo 2 settimane, continua la maturazione alla temperatura più calda di 18 ° C e all'80% di umidità per 4-6 settimane. Il formaggio può essere consumato a questo

punto oppure messo in frigorifero a stagionare per altri 3-4 mesi.

38. Manchego infuso allo zafferano

FA 2 libbre

- ⅛ cucchiaino di fili di zafferano
- 2 galloni di latte vaccino intero pastorizzato
- 1 cucchiaino di coltura starter mesofila in polvere MM 100
- 1 cucchiaino di coltura starter termofila in polvere Thermo B
- 1 cucchiaino di lipasi delicata in polvere diluita in ¼ di tazza di acqua fredda non clorata (opzionale)

- 1 cucchiaino di cloruro di calcio diluito in ¼ di acqua fredda non clorata
- 1 cucchiaino di caglio liquido diluito in ¼ di tazza di acqua fredda non clorata

- 1 cucchiaino di paprika dolce
- 1 tazza di olio d'oliva

1. In una pentola non reattiva da 10 quarti, mescolare lo zafferano nel latte, quindi scaldare a fuoco basso a 30 ° C; questo dovrebbe richiedere circa 15 minuti. Spegnere il fuoco.

2. Cospargere le colture starter sul latte e lasciare reidratare per 5 minuti.

3. Mescolare bene usando una frusta con un movimento su e giù. Coprire e mantenere una temperatura di 30 ° C, lasciando maturare il latte per 45 minuti. Aggiungere la lipasi, se utilizzata (conferisce un sapore e un aroma più forti), sbattendola delicatamente.

4. Aggiungere il cloruro di calcio e frullare delicatamente, quindi aggiungere il caglio e frullare delicatamente per 1 minuto. Coprite e lasciate riposare, mantenendo la temperatura di 30 ° C per 30-45 minuti, o finché la cagliata non darà una pausa pulita.

5. Mantenendo ancora gli 86 °F, tagliare la cagliata in pezzi da ½ pollice e lasciare riposare per 5 minuti. Tagliare la cagliata a pezzi delle dimensioni di un riso mescolando delicatamente con una frusta in acciaio inossidabile. Passando a una spatola di gomma, mescolare lentamente intorno ai bordi della pentola, mantenendo la cagliata in movimento per circa 30 minuti per rilasciare il siero e rassodare la cagliata.

6. A fuoco basso, porta la cagliata a 40 ° C per 30 minuti, mescolando delicatamente con una spatola di gomma per evitare che la cagliata si opacizzi in una massa. Il siero sarà di un colore giallo verdolino chiaro e solo leggermente torbido.
7. Spegni il fuoco quando la temperatura raggiunge i 40 ° C e lascia riposare la cagliata per 5 minuti. La cagliata affonderà fino in fondo. Mestolo oO abbastanza siero di latte per esporre la cagliata.

8. Metti un colino su una ciotola o un secchio abbastanza grande da catturare il siero di latte. Foderatela con una mussola di burro umida e versateci dentro delicatamente la cagliata. Lascia scolare per 15 minuti o finché il siero non smette di gocciolare.

9. Trasferisci delicatamente il sacco di cagliata scolata in uno stampo per tomme da 8 pollici. Tirare il panno stretto e liscia intorno alla cagliata, coprire con le code di stoffa e posizionare sopra il seguace. Premere a 15 libbre per 15 minuti.
10. Rimuovere il formaggio dallo stampo, scartare il panno, asciugare il formaggio e riparare. Premere di nuovo a 15 libbre per 15 minuti. Ripeti questo processo ancora una volta, quindi ip e rimuovi il formaggio e pressa a 30 libbre per 8 ore o durante la notte.

11. Fai 3 quarti di media saturo salamoia in un contenitore non corrosivo con un coperchio e raffreddare a 50 ° F a 55 ° F. Togliete il formaggio dallo stampo e dal

panno. Mettilo nella salamoia e immergilo a una temperatura compresa tra 50 ° F e 55 ° F per 6-8 ore. Togli il formaggio dalla salamoia e asciugalo tamponando.

12. Posizionare il formaggio su una stuoia di essiccazione in una scatola di maturazione scoperta e invecchiare a 55 ° F e dall'80 all'85% di umidità per 10 giorni a 3 mesi, ribaltando quotidianamente. Rimuovere eventuali muffe indesiderate con una garza inumidita in una soluzione di sale e aceto.
13. Quando il formaggio ha raggiunto la maturazione desiderata, unire la paprika e l'olio d'oliva e strofinare il formaggio con questa miscela. Avvolgere e conservare in frigorifero.

39. Parmigiano

RENDE 1 libbre

- 2 galloni di latte vaccino pastorizzato a ridotto contenuto di grassi (2%)
- ¼ di cucchiaino di coltura starter termofila in polvere Thermo B
- 1 cucchiaino di cloruro di calcio diluito in ¼ di tazza di acqua fredda non clorata

- 1 cucchiaino di caglio liquido diluito in ¼ di tazza di acqua fredda non clorata Sale kosher (preferibilmente di marca Diamond Crystal) o sale di formaggio per la salamoia Olio d'oliva per strofinare

1. Riscaldare il latte in una pentola da 10 quarti non reattiva a bagnomaria a 40 ° C a fuoco basso. Porta il latte a 30 ° C in 20 minuti. Spegni il fuoco.

2. Cospargere lo starter sul latte e lasciarlo reidratare per 5 minuti. Mescolare bene usando una frusta con un movimento su e giù. Coprite e mantenete la temperatura, lasciando maturare il latte per 45 minuti. Aggiungere il cloruro di calcio e mescolare delicatamente per 1 minuto. Aggiungere il caglio e mescolare delicatamente per 1 minuto. Coprite e lasciate riposare, mantenendo la temperatura di 30 ° C per 45 minuti, o fino a quando la cagliata non darà una pausa pulita.

3. Usare un frullate, tagliate la cagliata a pezzetti della grandezza di un pisello e lasciate riposare indisturbata per 10 minuti. A fuoco basso, aumenta lentamente la temperatura a 124 ° F per 1 ora, mescolando continuamente la cagliata per rassodarla. Una volta raggiunti i 120 ° C, smettere di mescolare e lasciare che la cagliata si stabilizzi e si maturi insieme. Coprire e mantenere la temperatura di 124 ° F per 10 minuti.

4. Foderare uno scolapasta con mussola di burro umida e versarvi dentro la cagliata. Lasciate scolare per 5 minuti,quindi trasferire la cagliata, il panno e tutto, in uno

stampo per tomme da 5 pollici e lasciare scolare per minuti.

5. Tirare su il panno e appianare eventuali pieghe, piegare le code del panno sulla cagliata e mettere sopra il seguace. Premere a 10 libbre per 30 minuti. Rimuovere il formaggio dallo stampo, coprirlo e rivestirlo, quindi premere di nuovo a 10 libbre per 1 ora. Ancora una volta togliere dallo stampo, anca, e ricoprire il formaggio, quindi premere a 20 libbre per 12 ore.

6. Prepara 2 litri di liquido quasi saturo salare e raffreddare a 50 ° F a 55 ° F. Rimuovere il formaggio dallo stampo e dal panno e metterlo nella salamoia a bagno a 50 ° F a 55 ° F per 12 ore, ribaltandolo una volta durante quel tempo.

7. Togli il formaggio dalla salamoia e asciugalo tamponando. Posizionare su uno stendino, coprire con una garza e asciugare all'aria a temperatura ambiente per 2 o 3 giorni, o fino a quando la superficie è asciutta al tatto, Rtipping ogni giorno.

8. Posizionare su un tappetino in una scatola di maturazione e maturare a una temperatura compresa tra 50 ° F e 55 ° F e 85% di umidità, ribaltando ogni giorno, per 2 settimane. Capovolgi due volte a settimana per il mese successivo, poi una volta a settimana per tutta la durata della maturazione. Rimuovere eventuali muffe indesiderate con una garza inumidita in una soluzione di sale e aceto.

9. Dopo 3 mesi di maturazione, strofinare la superficie con olio d'oliva. Riporre il formaggio nella cassetta di stagionatura e stagionare per un totale di 7 mesi, o fino al raggiungimento della maturazione desiderata, ribaltando una volta alla settimana e strofinando con olio d'oliva una volta al mese. Avvolgere e conservare in frigorifero.

40. Romano

FA 2 libbre

- 1 gallone di latte vaccino intero pastorizzato
- 1 gallone di latte di capra pastorizzato
- ¼ di cucchiaino di coltura starter termofila in polvere Thermo B
- 1 cucchiaino di Capalase lipasi in polvere sciolta in ¼ di tazza di acqua fredda non clorata prima dell'uso (opzionale)

- 1 cucchiaino di cloruro di calcio diluito in ¼ di tazza di acqua fredda non clorata
- 1 cucchiaino di caglio liquido diluito in ¼ di tazza di acqua fredda non clorata Sale kosher (preferibilmente di

marca Diamond Crystal) o sale di formaggio per la salamoia Olio d'oliva per strofinare

1. Riscaldare il latte in una pentola da 10 quarti non reattiva a bagnomaria a 100 ° F a fuoco basso. Porta il latte a 90 ° F in 20 minuti. Spegni il fuoco.

2. Cospargere lo starter sul latte e lasciarlo reidratare per 5 minuti. Mescolare bene usando una frusta con un movimento su e giù. Coprite e mantenete a 90 ° F, lasciando maturare il latte per 30 minuti. Aggiungere la lipasi, se utilizzata, e frullare delicatamente. Aggiungere il cloruro di calcio e frullare delicatamente per 1 minuto. Aggiungere il caglio e mescolare delicatamente per 1 minuto. Copri e lascia riposare, mantenendo 90 ° F per 1un'ora o fino a quando la cagliata non dà una rottura netta.

3. Tagliate la cagliata a pezzi da ¼ di pollice e lasciate riposare indisturbata per 5 minuti. A fuoco basso, aumenta lentamente la temperatura a 117 ° F per 40-50 minuti, mescolando continuamente la cagliata per farle alzare. Una volta raggiunti i 117 ° F, smettere di mescolare e lasciare riposare la cagliata. Copri e mantieni 117 ° F per 30 minuti.

4. Foderare uno scolapasta con mussola di burro umida e versarvi dentro la cagliata. Lasciate scolare per 5 minuti,quindi trasferire la cagliata, il panno e tutto il resto in uno stampo per tomme da 5 pollici. Tirare su il panno e appianare eventuali pieghe, piegare le code del panno

sulla cagliata e mettere sopra il seguace. Premere a 10 libbre per 30 minuti. Rimuovere il formaggio dallo stampo, coprirlo e rivestirlo, quindi premere di nuovo a 10 libbre per 1 ora. Ancora una volta rimuovere, ip e correggere il formaggio, quindi premere a 20 libbre per 12 ore.

5. Prepara 2 litri di liquido quasi saturo salare e raffreddare a 50 ° F a 55 ° F. Rimuovere il formaggio dallo stampo e dal panno e metterlo nella salamoia a bagno a 50 ° F a 55 ° F per 12 ore, ribaltandolo una volta durante quel tempo.

6. Togli il formaggio dalla salamoia e asciugalo tamponando. Posizionare su uno stendino, coprire con una garza e asciugare all'aria a temperatura ambiente per 2 giorni o fino a quando la superficie è asciutta al tatto, coprendola ogni giorno.

7. Posizionare il formaggio su una stuoia di formaggio in una scatola di maturazione e maturare a una temperatura compresa tra 50 ° F e 55 ° F e 85% di umidità, ribaltando ogni giorno per 2 settimane. Capovolgi due volte a settimana per il mese successivo, poi una volta a settimana per tutta la durata della maturazione. Rimuovere eventuali muffe indesiderate con una garza inumidita in una soluzione di sale e aceto.

8. Dopo 2 mesi di maturazione, strofinare la superficie con olio d'oliva. Riporre il formaggio nella cassetta di stagionatura e stagionare per un totale di 5 mesi, o fino al

raggiungimento della maturazione desiderata, ribaltando una volta alla settimana e strofinando con olio d'oliva una volta al mese. Avvolgere e conservare in frigorifero.

41. Asiago pepato

REALIZZA due ruote da 1 libbra

- 6 litri di latte vaccino intero pastorizzato
- 2 litri di latte vaccino pastorizzato a ridotto contenuto di grassi (2%)
- 1 cucchiaino di coltura starter termofila in polvere Thermo B
- 1 cucchiaino di cloruro di calcio diluito in ¼ di tazza di acqua fredda non clorata
- 1 cucchiaino di caglio liquido diluito in ¼ di tazza di acqua fredda non clorata
- 1 cucchiaino e mezzo di pepe nero o verde (omettere se si prepara l'Asiago semplice)
- Sale kosher (preferibilmente di marca Diamond Crystal) o sale di formaggio per la salamoia

1. In una pentola non reattiva da 10 quarti, riscaldare il latte a fuoco basso a 92 ° F; questo dovrebbe richiedere circa 20 minuti. Spegni il fuoco.

2. Cospargere lo starter sul latte e lasciarlo reidratare per 5 minuti. Mescolare bene usando una frusta con un movimento su e giù. Coprire e mantenere la temperatura di 30 ° C, lasciando maturare il latte per minuti.
3. Aggiungere il cloruro di calcio e mescolare delicatamente per 1 minuto. Aggiungere il caglio e mescolare delicatamente per 1 minuto. Coprite e lasciate riposare, mantenendo la temperatura di 30 ° C per 1 ora, o finché la cagliata non darà una pausa pulita.

4. Tagliate la cagliata a pezzi da ½ pollice e lasciate riposare indisturbata per 5 minuti. A fuoco basso, aumenta lentamente la temperatura a 104 ° F per 40

minuti. Togliere dal fuoco e mescolare per qualche minuto per rilasciare il siero di latte e ridurre la cagliata alla dimensione delle arachidi.

5. A fuoco basso, aumenta lentamente la temperatura a 118 ° F, mescolando la cagliata per rimuoverli. Una volta raggiunti i 118 ° F, smettere di mescolare e lasciare riposare la cagliata. Coprite e mantenete a 118 ° F per 20 minuti.

6. Mestolo oG abbastanza siero di latte per esporre la cagliata. Foderare due cestini scolapiatti italiani larghi 4 pollici con una garza umida e posizionarli su una griglia. Riempite ogni stampo con un quarto della cagliata e lasciate scolare per 5 minuti.
7. Coprite con le code della garza e premete delicatamente con la mano per compattare la cagliata. Scartare e cospargere metà dei grani di pepe su ogni stampo di cagliata compatta. Dividere la cagliata rimanente tra gli stampini per coprire i grani di pepe e impacchettare con la mano.
8. Tirare la garza intorno alla cagliata e piegarla per coprire le cime. Posizionare un follower sopra ogni cestello drenante e premere a 8 libbre per 1 ora. Rimuovere, ip e rimescolare il formaggio, quindi premere a 8 libbre per altre 8 ore.

9. Fai 3 quarti di saturo salare e raffreddare a 50 ° F a 55 ° F. Togliere i formaggi dagli stampini e dalla stoffa e metterli nella salamoia a bagno a 50 ° C-55 ° F per 12 ore, ribaltandoli una volta.

10. Rimuovere i formaggi dalla salamoia e asciugarli tamponando. Posizionare su uno stendino, coprire senza stringere con una garza e asciugare all'aria a temperatura ambiente per 8 ore o fino a quando la superficie è asciutta al tatto, ribaltando i formaggi almeno una volta durante il processo di essiccazione.

11. Mettere i formaggi su una stuoia in una scatola di stagionatura con un coperchio. Coprire liberamente e maturare a 54 ° F e 85% di umidità, Qtipping ogni giorno per 1 settimana. Spennellare con una semplice salamoia, raffreddata a 10-20 ° C, due volte a settimana per le prime 3 settimane di invecchiamento.
12. Per una versione invecchiata, continuare il processo di spazzolatura una volta alla settimana per almeno 2 mesi e fino a 1 anno.

42. Mattone americano

FA 2 libbre

- 2 galloni di latte vaccino intero pastorizzato
- 1 cucchiaino di coltura starter mesofila in polvere Meso II
- 1 cucchiaino di cloruro di calcio diluito in ¼ di tazza di acqua fredda non clorata
- 1 cucchiaino di caglio liquido diluito in ¼ di tazza di acqua fredda non clorata
- Sale kosher (preferibilmente di marca Diamond Crystal) o sale di formaggio per la salamoia

1. In una pentola non reattiva da 10 quarti, riscaldare il latte a fuoco basso a 88 ° F; questo dovrebbe richiedere circa 20 minuti. Spegni il fuoco.

2. Cospargere lo starter sul latte e lasciarlo reidratare per 5 minuti. Mescolare bene usando una frusta con un movimento su e giù. Coprite e mantenete a 30 ° C, lasciando maturare il latte per 15 minuti. Aggiungere il cloruro di calcio e mescolare delicatamente per 1 minuto. Aggiungere il caglio e mescolare delicatamente per 1 minuto. Coprite e lasciate riposare, mantenendo una temperatura di 28 ° C per 30-45 minuti, o fino a quando la cagliata non darà una pausa netta.

3. Mantenendo ancora 88 ° F, tagliare la cagliata in pezzi da ½ pollice e lasciare riposare per 5 minuti. A fuoco basso, porta lentamente la cagliata a 30 ° C per 45 minuti. Mescolare continuamente per evitare che la cagliata si stuoia insieme; rilasceranno siero di latte, si rassoderanno leggermente e si restringeranno fino a raggiungere le dimensioni delle noccioline.

4. Quando la cagliata sarà a 30 ° C, spegnete il fuoco, mantenete la temperatura e lasciate riposare indisturbata per 25 minuti; affonderanno fino in fondo.

5. Foderare un colino con mussola al burro umida e versarvi dentro la cagliata. Lasciate scolare per 5 minuti,quindi trasferire la cagliata, il panno e tutto il resto in uno stampo per tomme da 8 pollici.

6. Tirare su il panno e appianare eventuali pieghe, coprire la cagliata con le code di stoffa, posizionare sopra il follower e premere a 5 libbre per 15 minuti. Rimuovere il formaggio, scartare, ip e riparare, quindi premere di nuovo a 10 libbre per 12 ore.

7. Prepara 3 litri di liquido quasi saturo salare e raffreddare a 50 ° F a 55 ° F. Rimuovere il formaggio dallo stampo e dal panno e metterlo nella salamoia a bagno a 50 ° F a 55 ° F per 2 ore.

8. Togli il formaggio dalla salamoia e asciugalo tamponando. Asciugare all'aria su una stuoia di formaggio a temperatura ambiente per circa 24 ore per asciugare e impostare la crosta. Strofinare eventuali macchie di muffa che potrebbero svilupparsi con una soluzione di sale e aceto distillato.

9. Incerare il formaggio e invecchiare a 50 ° F e 85% di umidità per un massimo di 4 mesi, avvolgendo il formaggio una volta alla settimana per una maturazione uniforme.

43. Caerphilly

FA 2 libbre

- 2 galloni di latte vaccino intero pastorizzato
- 1 cucchiaino di coltura starter mesofila in polvere MA 4001

- 1 cucchiaino di coltura starter mesofila in polvere Aroma B.

- 1 cucchiaino di cloruro di calcio diluito in ¼ di tazza di acqua fredda non clorata
- 1 cucchiaino di caglio liquido diluito in ¼ di tazza di acqua fredda non clorata Sale kosher (preferibilmente di marca Diamond Crystal) o sale di formaggio per la salamoia

1. In una pentola non reattiva da 10 quarti, riscaldare il latte a fuoco basso a 90 ° F; questo dovrebbe richiedere circa 20 minuti. Spegni il fuoco.

2. Cospargere le colture starter sul latte e lasciare reidratare per 5 minuti. Mescolare bene usando una frusta con un movimento su e giù. Coprite e mantenete a 90 ° F, lasciando maturare il latte per 1 ora. Aggiungere il cloruro di calcio e mescolare delicatamente per 1 minuto. Aggiungere il caglio e mescolare delicatamente per 1 minuto. Copri e lascia riposare, mantenendo 90 ° F per 45-55 minuti, o fino a quando la cagliata non dà una pausa pulita.

3. Mantenendo ancora 90 ° F, tagliare la cagliata in pezzi da ½ pollice e lasciare riposare per 5 minuti. A fuoco basso, porta lentamente la cagliata a 35 ° F per 20 minuti. Mescolare continuamente per evitare che la cagliata si stuoia insieme; rilasceranno siero di latte, si rassoderanno leggermente e si restringeranno fino a raggiungere le dimensioni delle noccioline.

4. Una volta che la cagliata è a 35 ° C, spegnere il fuoco, mantenere la temperatura e lasciare riposare la cagliata indisturbata per 45 minuti; affonderanno fino in fondo.

5. Mestola abbastanza siero di latte dalla pentola per esporre le parti superiori della cagliata. Foderare un colino con mussola al burro umida e versarvi dentro la cagliata. Lasciate scolare per 5 minuti.

6. Trasferisci la cagliata, il panno e tutto il resto in uno stampo per tomme da 8 pollici. Tirare su il panno e appianare eventuali pieghe, coprire la cagliata con le code di stoffa, posizionare il follower sopra e premere a 8 libbre per 30 minuti. Togliere il formaggio dallo stampo, scartare,Fianchi e riparazioni, quindi premere di nuovo a 10 libbre per 12 ore.

7. Fai 3 quarti di media-pesante salare e raffreddare a 50 ° F a 55 ° F. Rimuovere il formaggio dallo stampo e dal panno e metterlo nella salamoia a bagno a 50 ° F a 55 ° F per 8 ore.

8. Togli il formaggio dalla salamoia e asciugalo tamponando. Asciugare all'aria su una stuoia di formaggio a temperatura ambiente per circa 24 ore, o fino a quando la superficie è asciutta al tatto. Strofinare le macchie di muffa che potrebbero svilupparsi con una soluzione di sale e aceto distillato.

9. Posizionare il formaggio su una stuoia in una scatola di maturazione e maturare a una temperatura compresa

tra 50 ° F e 55 ° F e 85% di umidità, ribaltando ogni giorno. Dopo 10-14 giorni apparirà una muffa grigio biancastra. Una volta che ciò si verifica, ip il formaggio due volte a settimana fino a formare una crosta. Spazzola la superficie due volte a settimana contemporaneamente alla pipa del formaggio per favorire la formazione di muffe.

10. Spazzolare con un batuffolo di garza asciutta o uno spazzolino per unghie soffice dedicato inumidito in salamoia semplice con l'umidità in eccesso rimossa. Dopo 3 settimane dall'inizio della stagionatura, il formaggio inizierà ad ammorbidirsi sotto la crosta.

11. Consumare a 2 mesi per un sapore forte o maturare più a lungo, fino a 6 mesi, per un sapore più pungente.

44. Colby

FA 2 libbre

- 2 galloni di latte vaccino intero pastorizzato
- ½ cucchiaino di coltura starter mesofila in polvere Meso II
- 1 cucchiaino di annatto liquido diluito in ¼ di tazza di acqua fredda non clorata
- ½ cucchiaino di cloruro di calcio diluito in ¼ di tazza di acqua fredda non clorata
- ½ cucchiaino di caglio liquido diluito in ¼ di tazza di acqua fredda non clorata
- Sale kosher (preferibilmente di marca Diamond Crystal) o sale di formaggio per la salamoia

1. In una pentola non reattiva da 10 quarti, riscaldare il latte a fuoco basso a 30 ° C; questo dovrebbe richiedere circa 15 minuti. Spegni il fuoco.

2. Cospargere lo starter sul latte e lasciarlo reidratare per 5 minuti. Mescolare bene usando una frusta con un movimento su e giù.

3. Coprite e mantenete la temperatura di 30 ° C, lasciando maturare il latte per 1 ora. Aggiungere l'annatto e mescolare delicatamente per 1 minuto. Aggiungere il cloruro di calcio e mescolare delicatamente per 1 minuto, quindi incorporare il caglio allo stesso modo. Coprite e lasciate riposare, mantenendo la temperatura di 30 ° C per 30-45 minuti, o finché la cagliata non darà una pausa pulita.

4. Mantenendo ancora gli 86 °F, tagliare la cagliata in pezzi da ½ pollice e lasciare riposare per 5 minuti. A fuoco basso, porta lentamente la cagliata a 40 ° C per 50 minuti. Mescolare continuamente per evitare che la cagliata si stuoia insieme; rilasceranno siero di latte, si rassoderanno leggermente e si restringeranno fino a raggiungere le dimensioni delle noccioline.

5. Una volta che la cagliata è a 30 ° C, spegnere il fuoco, mantenere la temperatura e lasciare riposare indisturbata la cagliata per 15 minuti; affonderanno fino in fondo.

6. In un misurino, versa abbastanza siero di latte per esporre la cagliata. Sostituisci il siero di latte con la stessa quantità di acqua a 40 ° C. Mescolate delicatamente per 2 minuti, poi coprite e lasciate riposare la cagliata per 10 minuti.

7. Foderare un colino con mussola al burro umida e versarvi dentro la cagliata. Lasciate scolare per 5 minuti.

8. Foderare uno stampo per tomme da 5 pollici con una garza umida e trasferire delicatamente la cagliata scolata nello stampo.
9. Tirare su il panno e appianare eventuali pieghe, coprire la cagliata con le code di stoffa, posizionare il follower sopra e premere a 5 libbre per 1 ora. Rimuovere il formaggio dallo stampo, scartare, ip e riparare, quindi premere di nuovo a 10 libbre per 12 ore.

10. Fai 4 quarti di media-pesante salare e raffreddare a 50 ° F a 55 ° F. Rimuovere il formaggio dallo stampo e dal panno e metterlo nella salamoia a bagno a 50 ° F a 55 ° F per 8 ore.

11. Togli il formaggio dalla salamoia e asciugalo tamponando. Asciugare all'aria a temperatura ambiente su una stuoia di formaggio per circa 24 ore, o fino a quando la superficie è asciutta al tatto. Strofinare eventuali macchie di muffa che potrebbero svilupparsi con una soluzione di sale e aceto distillato.

12. Incerare il formaggio e invecchiare a 10 ° F e dall'80 all'85% di umidità per 6 settimane a 2 mesi, ribaltando il formaggio una volta alla settimana per una maturazione uniforme.

45. Cheddar di cagliata di birra

FA 2 libbre

- 2 galloni di latte vaccino intero pastorizzato
- ½ cucchiaino di coltura starter mesofila in polvere Meso II
- 1 cucchiaino di annatto liquido diluito in ¼ di tazza di acqua fredda non clorata (opzionale)
- ½ cucchiaino di cloruro di calcio diluito in ¼ di tazza di acqua fredda non clorata
- ½ cucchiaino di caglio liquido diluito in ¼ di tazza di acqua fredda non clorata
- Una bottiglia da 12 once di birra scura o scura a temperatura ambiente

- 1 cucchiaio di sale kosher (preferibilmente di marca Diamond Crystal) o sale di formaggio

1. Riscaldare il latte in una pentola da 10 quarti non reattiva a bagnomaria a 30 ° C a fuoco basso. Porta il latte a 30 ° C per 10 minuti. Spegni il fuoco.

2. Cospargere lo starter sul latte e lasciarlo reidratare per 5 minuti. Mescolare bene usando una frusta con un movimento su e giù. Coprite e mantenete a 30 ° C, lasciando maturare il latte per 45 minuti. Aggiungere l'annatto, se lo si utilizza, e frullare delicatamente per 1 minuto. Aggiungere il cloruro di calcio e mescolare delicatamente per 1 minuto, quindi incorporare il caglio allo stesso modo. Coprite e lasciate riposare, mantenendo una temperatura di 28 ° C per 30-45 minuti, o fino a quando la cagliata non darà una pausa netta.
3. Mantenendo ancora 88 ° F, tagliare la cagliata in pezzi da ½ pollice e lasciare riposare per 5 minuti. A fuoco basso, porta lentamente la cagliata a 32 ° C per 40 minuti. Mescolare continuamente per evitare che la cagliata si stuoia insieme; rilasceranno siero di latte, si rassoderanno leggermente e si restringeranno fino a raggiungere le dimensioni delle noccioline.

4. Una volta che la cagliata è a 30 ° C, spegnere il fuoco, mantenere la temperatura e lasciare riposare indisturbata la cagliata per 30 minuti; affonderanno fino in fondo.

5. Metti un colino su una ciotola o un secchio abbastanza grande da catturare il siero di latte. Foderatela

con mussola di burro umida e versateci dentro la cagliata. Lasciar scolare per 10 minuti o fino a quandoil siero di latte smette di ribaltarsi. Riserva un terzo del siero di latte e rimettilo nella pentola.

6. Riporta il siero di latte nella pentola a 102 ° F. Metti la cagliata in uno scolapasta, metti lo scolapasta sulla pentola e copri. Mantenendo con cura la temperatura di 102 ° F del siero di latte, attendere minuti che la cagliata si sciolga in una lastra.
7. Capovolgi la lastra di cagliata e ripeti ogni 15 minuti per 1 ora. La cagliata dovrebbe mantenere una temperatura compresa tra 95 ° F e 100 ° F dal siero di latte riscaldato sottostante e continuare a espellere il siero nella pentola. Dopo 1 ora, la cagliata apparirà lucida e bianca, come il pollo in camicia.

8. Trasferire la lastra calda di cagliata su un tagliere e tagliarla in strisce da 2 pollici da ½ pollice, come le patatine fritte. Mettere le strisce calde in una ciotola e coprire completamente con l'infuso. Immergere per 45 minuti. Scolare e scartare l'infuso. Cospargere il sale sulla cagliata e mescolare delicatamente per mescolare.

9. Linea uno stampo per tomme da 5 pollici con una garza umida. Imballare la cagliata scolata nello stampo, coprire con le code di stoffa, posizionare il follower sopra e premere a 8 libbre per 1 ora. Rimuovere il formaggio dallo stampo, scartare, strappare e riparare, quindi premere a 10 libbre per ore.

10. Togliere il formaggio dallo stampo e dal panno e asciugare tamponando. Lasciar asciugare all'aria su un tappetino da formaggio a temperatura ambiente per 1 o 2 giorni o fino a quando la superficie è asciutta al tatto.
11. Incerare il formaggio e stagionare a una temperatura compresa tra 10 e 55 ° F e l'85% di umidità per 4-6 settimane, ribaltando il formaggio ogni giorno per una maturazione uniforme.

46. Cagliata di formaggio Cheddar-Jalapeño

FA 1 libbra

- 1 gallone di latte vaccino intero pastorizzato
- ⅛ cucchiaino di coltura starter mesofila in polvere Meso II

- 1 cucchiaino di cloruro di calcio diluito in 2 cucchiai di acqua fredda non clorata
- 1 cucchiaino di caglio liquido diluito in 2 cucchiai di acqua fredda non clorata
- 1 cucchiaio più ½ cucchiaino di sale kosher (preferibilmente di marca Diamond Crystal) o sale per formaggio
- 1 (4 once) può jalapeños a dadini, scolati
- ½ a 1 cucchiaino di pepe rosso Rastrelli

1. Riscaldare il latte in una pentola da 6 quarti non reattiva a bagnomaria a 30 ° C a fuoco basso.

2. Porta il latte a 30 ° C per 12 minuti. Spegni il fuoco.

3. Cospargere lo starter sul latte e lasciarlo reidratare per 5 minuti. Mescolare bene usando una frusta con un movimento su e giù. Coprite e mantenete a 30 ° C, lasciando maturare il latte per 45 minuti. Aggiungere il cloruro di calcio e frullare delicatamente. Aggiungere il caglio e frullare delicatamente. Coprire e lasciare riposare, mantenendo tra i 30 ei 30 ° C per 40 minuti o fino a quando la cagliata non si rompe.

4. Tagliare la cagliata a pezzi da ½ pollice e lasciarla riposare per 5 minuti. A fuoco basso, porta lentamente la cagliata a 102 ° F per circa 30 minuti, mescolando per ridurre la cagliata alla dimensione delle arachidi. TurnSpegnere il fuoco e mantenere la temperatura di 30 ° C per 30 minuti, mescolando ogni due minuti per evitare che si opacizzi.

5. Prova la consistenza della cagliata: spremi un cucchiaio di cagliata nel tuo Xst; dovrebbero raggrupparsi insieme. Ora separali con il pollice; se si separano, sei pronto per procedere. Lascia riposare la cagliata per 15 minuti.

6. Metti un colino su una ciotola o un secchio abbastanza grande da catturare il siero di latte. Foderatela con mussola di burro umida e versateci dentro la cagliata. Lasciar scolare per 10 minuti o finché il siero non smette di ribaltarsi. Versare nuovamente il siero di latte nella pentola.

7. Riporta il siero di latte nella pentola a 102 ° F. Metti la cagliata in uno scolapasta, metti lo scolapasta sulla pentola e copri.

8. Mantenendo con cura la temperatura di 102 ° F del siero di latte, attendere alcuni minuti affinché la cagliata si sciolga in una lastra. Capovolgi la lastra di cagliata e ripeti ogni 15 minuti per 1 ora. La cagliata dovrebbe mantenere una temperatura da 98 ° F a 100 ° F dal siero di latte riscaldato sottostante e continuare a espellere il siero nella pentola. Dopo 1 ora, la cagliata apparirà lucida e bianca, come il pollo in camicia.

9. Trasferire la lastra calda di cagliata su un tagliere e tagliarla in strisce da 2 pollici da ½ pollice, come le patatine fritte. Mettere le strisce calde in una ciotola, aggiungere 1 cucchiaio di sale e mescolare con le mani.

Mettere la cagliata salata in un colino sopra una ciotola ad asciugare, scoperta, per 12-24 ore a temperatura ambiente.

10. Metti la cagliata in una grande ciotola. Mescolare delicatamente ½ cucchiaino di sale, i jalapeños e i naselli al peperoncino. Conservare la cagliata in un sacchetto richiudibile o sigillare sottovuoto e conservare in frigorifero. Si conservano per 1 o 2 settimane in frigorifero.

47. Cheddar affilato

ROTONDO DI 4 POLLICI

- 1 tazza di anacardi crudi
- 1/4 di tazza di olio di cocco raffinato, più una quantità per ungere la padella
- 1 tazza di mandorle crude
- 1 tazza di acqua filtrata
- 1/4 tazza di amido di tapioca modificato
- Beta-carotene da 3 capsule di gel di beta-carotene, spremute dalle capsule di gel 1 cucchiaino di sale dell'Himalaya
- 2 cucchiai e mezzo di fiocchi di agar-agar
- 1 cucchiaio di aceto di mele

Indicazioni:

a) Mettere gli anacardi in acqua filtrata in una piccola ciotola. Copri e metti in frigorifero per una notte.

b) Ungere leggermente una padella a forma di molla da 4 pollici con olio di cocco.

c) Porta a ebollizione 4 tazze d'acqua in una casseruola media a fuoco medio-alto. Aggiungere le mandorle e sbollentarle per 1 minuto. Scolare le mandorle in uno scolapasta e rimuovere la buccia con le dita (potete compostare le bucce).

d) Scolare gli anacardi. Nella caraffa di un Vitamix, metti gli anacardi, le mandorle, l'acqua, l'amido di tapioca modificato, il beta-carotene, l'olio di cocco, il sale e l'agar-agar.

e) Frullare ad alta velocità per 1 minuto o fino a che liscio.
f) Trasferire il composto in una piccola casseruola e scaldare a fuoco medio-basso, mescolando continuamente, finché non diventa denso e di consistenza simile al formaggio. (Puoi usare un termometro e riscaldare la miscela a circa 145 gradi F. VediQui per suggerimenti su questa tecnica.)
g) Incorpora l'aceto.
h) Versare il formaggio nella teglia primaverile preparata. Lascialo raffreddare, quindi mettilo in frigorifero per una notte per prepararlo.
i) Fai scorrere un coltello affilato attorno al bordo interno della padella. Rilascia la fibbia e rimuovi l'anello dello stampo. Utilizzando il bordo piatto di un grosso coltello, separare il formaggio dal tondo di metallo inferiore e trasferirlo su un tagliere. Con un coltello molto affilato, affettare il formaggio e servire.
j) Se vuoi grattugiare questo formaggio, giralo fuori dallo stampo e mettilo in un umidificatore o in una cantinetta a 54 gradi F per 1-3 settimane. Salate il formaggio ogni pochi giorni per evitare la formazione di muffa nera.
k) Quando senti che il tuo formaggio è sufficientemente stagionato, taglia il tondo in 8 spicchi, mettilo nella pellicola e trasferisci in frigorifero per 24 ore. Grattugiare gli spicchi di formaggio su una grattugia grande.

48. Cheddar all'erba cipollina della fattoria

FA 2 libbre

- 2 galloni di latte vaccino intero pastorizzato
- ½ cucchiaino di coltura starter mesofila in polvere Meso II
- 1 cucchiaino di annatto liquido diluito in ¼ di tazza di acqua fredda non clorata
- ½ cucchiaino di cloruro di calcio diluito in ¼ di tazza di acqua fredda non clorata
- ½ cucchiaino di caglio liquido diluito in ¼ di tazza di acqua fredda non clorata
- Sale kosher (preferibilmente di marca Diamond Crystal) o sale al formaggio
- 2 cucchiaini di erba cipollina essiccata

1. Riscaldare il latte in una pentola da 10 quarti non reattiva a bagnomaria a 30 ° C a fuoco basso. Porta il latte a 30 ° C in 10 minuti. Spegni il fuoco.

2. Cospargere lo starter sul latte e lasciarlo reidratare per 5 minuti. Mescolare bene usando una frusta con un movimento su e giù. Coprite e mantenete la temperatura di 30 ° C, lasciando maturare il latte per 1 ora. Aggiungere l'annatto e mescolare delicatamente per 1 minuto. Aggiungere il cloruro di calcio e mescolare delicatamente per 1 minuto, quindi incorporare il caglio allo stesso modo. Copri e lascia riposare, mantenendo 30 ° C per 30-45minuti, o fino a quando la cagliata non dà una rottura netta.

3. Mantenendo ancora gli 86 °F, tagliare la cagliata in pezzi da ½ pollice e lasciare riposare per 5 minuti. A fuoco basso, porta lentamente la cagliata a 32 ° C per 40 minuti.

4. Spegnere il fuoco, mantenere la temperatura e mescolare delicatamente la cagliata per 20 minuti o finché non iniziano a salire. La cagliata avrà le dimensioni delle noccioline. Mantenendo sempre i 40 ° C, lasciare riposare la cagliata indisturbata per 30 minuti; affonderanno fino in fondo.

5. Mestolo oQ abbastanza siero di latte per esporre la parte superiore della cagliata. Mescola continuamente per 15-20 minuti, o fino a quando la cagliata è opaca e aderisce quando viene premuta in mano.

6. Foderare un colino con mussola al burro umida e versarvi dentro la cagliata. Lasciate scolare per 5 minuti, poi aggiungete 2 cucchiaini di sale e l'erba cipollina e mescolate bene con le mani.

7. Foderare uno stampo per tomme da 8 pollici con una garza umida e trasferire delicatamente la cagliata scolata nello stampo rivestito. Tirare su il panno e appianare eventuali pieghe, coprire la cagliata con le code di stoffa, posizionare il follower sopra e premere a 8 libbre per 1 ora.

8. Rimuovere il formaggio dallo stampo, scartarlo, rovesciarlo e rimetterlo e pressarlo a 10 libbre per 12 ore.

9. Prepara 3 litri di liquido quasi saturo salare e raffreddare a 50 ° F a 55 ° F. Rimuovere il formaggio dallo stampo e dalla garza e metterlo nella salamoia a bagno a 50 ° F a 55 ° F per 8 ore.

10. Togli il formaggio dalla salamoia e asciugalo tamponando. Asciugare all'aria su una stuoia da formaggio a temperatura ambiente per circa 24 ore, fino a quando la superficie è asciutta al tatto.

11. Elimina le macchie di muffa che potrebbero svilupparsi con una soluzione di sale e aceto distillato.

12. Incerare il formaggio e invecchiare a 10 ° C e con un'umidità compresa tra l'80 e l'85% per 1 o 2 mesi,

ribaltando il formaggio una volta alla settimana per una stagionatura uniforme.

49. Cheddar in stile irlandese

FA 2 libbre

- 2 galloni di latte vaccino intero pastorizzato
- 1 cucchiaino di coltura starter mesofila in polvere MA 4001
- 1 cucchiaino di cloruro di calcio diluito in ¼ di tazza di acqua fredda non clorata
- 1 cucchiaino di caglio liquido diluito in ¼ di tazza di acqua fredda non clorata

- 2 tazze di whisky irlandese a temperatura ambiente
- 1 cucchiaio di sale kosher (preferibilmente di marca Diamond Crystal)

1. Riscaldare il latte in una pentola da 10 quarti non reattiva a bagnomaria a 30 ° C a fuoco basso. Porta il latte a 30 ° C per 10 minuti. Spegni il fuoco.

2. Cospargere lo starter sul latte e lasciarlo reidratare per 5 minuti. Mescolare bene usando una frusta con un movimento su e giù. Coprite e mantenete a 30 ° C, lasciando maturare il latte per 45 minuti. Aggiungere il cloruro di calcio e mescolare delicatamente per 1 minuto. Aggiungere il caglio e mescolare delicatamente per 1 minuto. Coprite e lasciate riposare, mantenendo una temperatura di 28 ° C per 30-45 minuti, o fino a quando la cagliata non darà una pausa netta.

3. Mantenendo ancora 88 ° F, tagliare la cagliata in pezzi da ½ pollice e lasciare riposare per 5 minuti. A fuoco basso, porta lentamente la cagliata a 32 ° C per 40 minuti. Mescolare continuamente per evitare che la cagliata si stuoia insieme; rilasceranno siero di latte, si rassoderanno leggermente e si restringeranno fino a raggiungere le dimensioni delle noccioline.

4. Una volta che la cagliata è a 30 ° C, spegnere il fuoco, mantenere la temperatura e lasciare riposare indisturbata la cagliata per 30 minuti; affonderanno fino in fondo.

5. Metti un colino su una ciotola o un secchio abbastanza grande da catturare il siero di latte. Foderatela con mussola di burro umida e versateci dentro la cagliata. Lascia scolare per 15 minuti o finché il siero non smette

di gocciolare. Versare nuovamente il siero di latte nella pentola.

6. Riporta il siero di latte nella pentola a 102 ° F. Metti la cagliata in uno scolapasta, metti lo scolapasta sulla pentola e copri. Mantenendo con cura la temperatura di 102 ° F del siero di latte, attendere alcuni minuti che la cagliata si sciolga in una lastra. Capovolgi la lastra di cagliata e ripeti ogni 15 minuti per 1 ora.
7. La cagliata dovrebbe mantenere una temperatura compresa tra 95 ° F e 100 ° F dal siero riscaldato sottostante e continuerà a espellere il siero nella pentola. Dopo un'ora, la cagliata apparirà lucida e bianca, come il pollo in camicia.

8. Trasferire la lastra calda di cagliata su un tagliere e tagliarla in strisce da 2 pollici da ½ pollice, come le patatine fritte. Mettere le strisce calde in una ciotola e aggiungere ¼ di tazza di whisky e sale. Mescola delicatamente con le mani per combinare.

9. Fodera uno stampo per tomme da 8 pollici con una garza umida. Imballare la cagliata scolata nello stampo, coprire con le code di stoffa, posizionare il follower sopra e premere a 10 libbre per 1 ora. Rimuovere il formaggio dallo stampo, scartare, ip e riparazione, quindi premere a 15 libbre per 12 ore.
10. Togliere il formaggio dallo stampo e dal panno, metterlo in un contenitore e coprire con le restanti tazze di whisky da 1½. Coprire il contenitore e metterlo in un

ambiente a 18 ° C per 8 ore, Xtippando il formaggio una volta durante quel tempo.

11. Scolare il formaggio e asciugare tamponando. Getta il whisky in ammollo. Posizionare il formaggio su una stuoia di formaggio e asciugare all'aria a temperatura ambiente per 1 o 2 giorni, o fino a quando la superficie è asciutta al tatto.

12. Incerare il formaggio e maturare a una temperatura compresa tra 10 e 55 ° F e l'85% di umidità per 2-3 mesi, ribaltando il formaggio ogni giorno durante la settimana di riposo e successivamente due volte a settimana per una maturazione uniforme.

50. Cheddar Doppio Macinato

1. Nei cheddar a doppia macinazione, la cagliata di cheddar bianco naturale viene rotta o tagliata e pressata due volte.

Il cheddar passa attraverso il suo processo iniziale di cheddaring in cui la cagliata viene spezzata prima di essere modellata e pressata. La cagliata viene quindi pressata, salata e invecchiata fino a una determinata maturità desiderata, quindi viene spezzata o tagliata a pezzi (macinata) una seconda volta. A questo punto la cagliata macinata viene aromatizzata condendola con un numero qualsiasi di ingredienti dolci o aromatici oppure immergendola in alcool prima di essere modellata e pressata nuovamente. Una volta macinato due volte, il cheddar viene ulteriormente invecchiato per garantire che la cagliata macinata si leghi insieme per formare una forma di cheddar.

2. Per preparare il cheddar doppio macinato aromatizzato: questo processo di aromatizzazione può essere applicato a cheddar bianchi o arancioni di buona qualità acquistati in negozio (si applica la stessa procedura).

3. Tagliare o sminuzzare la cagliata in cubetti irregolari o pezzi di circa ⅜ di pollice a ½ pollice. Mettetele in una ciotola e aggiungete il condimento, mescolando delicatamente ma accuratamente con le mani.

4. Come guida generale, suggerisco di aggiungere un terzo in peso di un additivo grosso (cipolle caramellate o mirtilli rossi secchi, per esempio) rispetto al formaggio.

5. Per le erbe o le spezie, la proporzione dovrebbe essere di 1 parte di erbe o spezie per 6 parti di formaggio. Riempi uno stampo per cheddar rivestito di stoffa o una pressa

per formaggio con il formaggio aromatizzato e premi i passaggi da 8 a 10 per il Cheddar Brew-Curds.

6. Per preparare il cheddar robusto o al whisky, per ogni libbra di formaggio utilizzerai da 10 a 12 once di birra o liquori, o abbastanza per coprire la cagliata macinata.

7. Mettere a bagno la cagliata per 4-6 ore, quindi scolare e lo stampo o premere. Segui i passaggi da 8 a 10 per il Cheddar Brew-Curds per le istruzioni di pressatura e finitura.

8. Quindi incerare e conservare a una temperatura compresa tra 50 ° F e 55 ° F e 75% di umidità o sigillare sottovuoto e conservare in frigorifero. Lasciar maturare il nuovo formaggio per almeno 2 settimane o fino a qualche mese prima di consumarlo

CONCLUSIONE

Il formaggio è una buona fonte di calcio, un nutriente chiave per ossa e denti sani, coagulazione del sangue, guarigione delle ferite e mantenimento della pressione sanguigna normale. ... Un'oncia di formaggio cheddar fornisce il 20 percento di questo fabbisogno giornaliero. Tuttavia, il formaggio può anche essere ricco di calorie, sodio e grassi saturi. Anche il formaggio è delizioso!!

Ci sono anche prove crescenti che indicano che mangiare una piccola quantità di formaggio dopo un pasto può potenzialmente aiutare a prevenire la carie e promuovere la remineralizzazione dello smalto. Non solo il formaggio contiene una buona quantità di calcio, che supporta denti forti e sani, il formaggio aiuta a creare saliva aggiuntiva in bocca, che aiuta a spazzare via le particelle di cibo attaccate ai denti in modo che non abbiano la possibilità di stabilirsi e causare macchie . I formaggi a pasta dura, come il cheddar, sono i più efficaci, quindi aggiungi 1 oncia. pezzo dopo un pasto che include cibi che macchiano i denti.

Se fatto correttamente, il formaggio fatto in casa è spesso meglio per te rispetto ai formaggi acquistati in negozio o commerciali perché non contengono tanti conservanti o altri ingredienti artificiali dannosi.